一阵恐慌过后，我有了想要放弃的念头，我对可能发生的事情抱着无所谓的态度。我生命中第一次向不愿奋斗的愿望屈服了，这种感觉真的很好……

克罗蒂娜·勒·古伊克-普雷耶多，已婚，育有三个子女，其中一个身患残疾。她游历世界各处，其中最值得一提的是日本(在这里她遇到了她的丈夫)以及阿根廷(在移居到里约热内卢之前她一直住在这里)。她先在法国高中当老师，后来逐渐转向写作。《西奥，加油!》是她的一部非常有影响力的小说作品。

少年励志小说馆
Youth Inspirational Fiction Section

西奥，加油！

[法国]克罗蒂娜·勒·古伊克-普雷耶多◎著

张萌萌◎译

湖北长江出版集团
HUBEI CHILDREN'S PRESS
湖北少年儿童出版社

图书在版编目(CIP)数据

少年励志小说馆.2 / (法)克莱蒙,(法)古伊克-普雷耶多著;孙智绮,张萌萌译.—武汉:湖北少年儿童出版社,2011.12
ISBN 978-7-5353-6516-3

Ⅰ.①少… Ⅱ.①克… ②古…③孙…④张… Ⅲ.①儿童文学—中篇小说—法国—现代 Ⅳ.① I565.84

中国版本图书馆 CIP 数据核字(2011)第 251427 号
著作权合同登记号:图字 17-2011-164

Non merci

Non merci! © Bayard Editions, 2008
本书中文简体字版权经法国 Bayard 出版社授予海豚传媒股份有限公司,由湖北少年儿童
出版社独家出版发行。
版权所有,侵权必究。

Youth Inspirational Fiction Section 少年励志小说馆 **西奥,加油!**

[法国]克罗蒂娜·勒·古伊克-普雷耶多/著　张萌萌/译
责任编辑/王桢磊　黄　穗　文　佳
美术编辑/沈　霞　装帧设计/钮　灵
封面绘画/阿努克
出版发行/湖北少年儿童出版社
经销/全国新华书店
印刷/深圳市福圣印刷有限公司
开本/889×1194　1/32　10.5印张
版次/2015年7月第1版第3次印刷
书号/ISBN 978-7-5353-6516-3
定价/27.60元(全两册)

策划/海豚传媒股份有限公司(15060928)
网址/www.dolphinmedia.cn　邮箱/dolphinmedia@vip.163.com
咨询热线/027-87398305　销售热线/027-87396822
海豚传媒常年法律顾问/湖北珞珈律师事务所　王清　027-68754966-227

把最温暖的成长关怀献给孩子

黄艾艾

大约七年前，因为一部快乐有趣的法国儿童动画片《Sam Sam》(中文译名《闪闪小超人》)，我结识了出品这部动画片的法国著名出版社——巴亚出版社(Bayard)负责亚太区的版权编辑。我注意到，巴亚出版社的电子书目上，每年都会增添一两本最新的平装少年小说封面。那些封面上的男孩女孩，看上去都是心事重重的样子。

我请懂得法文的朋友给我讲述了这些小说的故事梗概。原来，这些故事都很特别，涉及了少年成长中可能遇到的种种难题、挫折和困惑，例如生活的突然变故，身边最亲的亲人过世，父母亲的离异，身体的残障，心理的孤僻和自闭等等。显然，这是一套十分温暖贴心的"成长关怀小说"，中国的儿童文学作品里，还比较少见这样的能够帮助孩子们去解决具体的成长困惑的作品(当然，我们后来也有了像黄蓓佳的《我飞了》、《你是我的宝贝》这样同类型的儿童小说）。

令人欣喜的是，近几年来，巴亚出版社的好几套优秀的童书，都被海豚传媒引进了版权，出版了漂亮的中文版，包括那套故事和插画都堪与一些图画书媲美的儿童分级读物《我爱阅读丛书》（60册），以及那部在法国几乎家喻户晓的长篇儿童动画片《Sam Sam》，其中也有我曾看到和推荐过的这套"成长关怀小说"。

多么温暖、明亮和澄澈的励志小说！温润的成长慰藉，细致的心灵疏导，对弱小的生命的悉心关怀，对人性之初的深切的爱与知……都像涓涓流淌的温暖的小溪，像照射进清晨的小树林的明亮的阳光，融化在清丽的文字和娓娓动听的故事里。

《请为我骄傲》里的小男孩大卫，在被森林环绕的湖水边长大。在学校里，他显得那么落落寡欢、格格不入，可是一回到森林和湖边，他是那么快乐和舒展，因为有小鸟和微风给他作伴。他在阁楼里发现了爷爷的伐木工具之后，就开始度过一段段快乐的伐木时光。他多么希望有一天爸爸能够为他感到骄傲。他和那只忠诚的狼狗结下了多么动人的友谊！狼狗从激流中救起了大卫，自己却永远离开了小主人……假如我们不曾像大卫的爸爸一样走进这个性格孤独的小男孩的生活天地，我们也许不会真正地为这样的孩子感到骄傲。而在我们身边，又有多少这样被忽视和被冷落的孩子。

在《爱的手势》里，小诺艾十岁的时候，妈妈就去世了，爸爸也不知去了哪里，他开始和爷爷奶奶生活在一起。一只名叫"荷马"的鸭子，分担了他内心的孤单和悲伤。还有《早安，莉娜！》里的小女孩莉娜，自从妈妈去世了，她就发现自己的心事越来越多了，她的生活里没有了快乐，没有了阳光。她好想离家逃走啊，因为她渴望有一个"避难所"。《西奥，加油！》里的小男孩西奥，坐在轮椅上已经有十年了，他已经厌倦了不停地说"谢谢"和"请"，他真的不想再过依赖别人的生活了。现在，他开始从自己穿衣、自己洗澡开始，慢慢学着自己打理自己的生活……

《秘密楼阁》里的小尼尔森，他的爷爷已经去世多年了，可是他还是那么想念自己最亲爱的爷爷。他将怎样走出最亲的亲人的死给他带来的困惑呢？还有多少秘密，隐藏在他小小的心灵的阁楼里呢？

《谁拐走了外公》里的小女孩小璐，也是从小就和外婆外公非常亲近，可是有一天，外婆去世了，外公陷入了无尽的悲伤之中，不再愿意和任何人交流。小璐多么想帮助外公走出悲伤啊！但是妈妈却找不到更好的选择，只能把外公送到了老人院。小璐无法接受这个做法，她想到一个主意，自己"拐走了外公"……

儿童文学作家诺斯特林格说过这样的话："我给孩子们写书的方法很简单：既然他们生长于斯的环境不鼓励他们建立自己的乌托邦，那我们就应挽起他们的手，向他们展示这个世界可以变得如何美好、快乐、正义和人道，这样可以使孩子们去向往一个更美好的世界，这种向往会促使他们思考应该摆脱什么、应该创造些什么以实现他们的向往。"这些小说，正是直面了孩子们成长中可能遇到的一个个具体难题，娓娓讲述着一个个温暖的故事，为一颗颗需要帮助的幼小的心打开了一道缝隙，透进了最温暖的光亮，最终帮助这些孩子走出了种种阴影和困境，重新获得了成长的信心、快乐和勇气。

这样一些孩子，不也都是世界赐给我们的宝贝吗？那么，去疼爱他们，去关心和了解他们，去把他们拥抱在怀里，搂到身边，呵护他们，给他们鼓励和微笑，我们所有的父母、老师和成年人，还有多少事情要做！

（作者系儿童电视节目编导、儿童文学作家）

1

　　事情是突然发生的，就是这样，毫无缘由的。我像往常一样醒过来，那天的心情也不坏。这些日子以来，我总感觉自己从早到晚一直都不舒服。更糟糕的事情是把所有的人赶出去散步，或者对朋友说些让人讨厌的话，诸如此类的事情都不能让我感到高兴。

　　这些日子以来，我一直都想做一些让人伤心的事情，我也不知道自己是否真的成功了，因为大家什么也没有说。我白费力气地说了那些最粗鲁的话，为一些鸡毛蒜皮的小事而发脾气，家人并没有因此而骂我。这件事真让人恼火，我也因此而更加生气。我感觉自己的行为就像拳头打在了装满海绵的袋子上一样无力。如果维克多(他是我弟弟)说了或者做了我所说过或做过的事情的一半,他就会倒大霉。简而言之,傍晚的时候我又生气又感觉自己很悲哀,因为我为自己之前的行为感到后悔。虽然这天之后发生了后文中那么多的事情,但是这一天确实很平淡无奇。

我的护工艾弗琳娜过来看我是不是已经醒了,她把我放到轮椅上。她给我整理床铺的时候,我就自己洗脸,然后她帮我穿衣服。接下来到餐厅吃早饭。帕特里克,我们的其中一个老师,在吃饭的时候帮助了我,并且给我准备了涂着黄油的面包片。

我回到自己的房间,叫着艾弗琳娜的名字,想让她帮我收拾好书包。但我得等十分钟,因为其中一个小家伙——尼古拉,尿在了床上,艾弗琳娜得换洗床单。本来可以找个有空的人来帮我收拾书包,但我实在懒得动。只是不想说那些已经重复了无数遍的"请"……倒霉,我上学要迟到了,但是在我们这个中心的学校里,迟到没什么关系,大家总是有很充分的理由……当人很无聊的时候，十分钟都显得很长。为了消磨时间，我数了一下从醒过来开始我说的"请"和"谢谢"的次数：

一次是因为"你睡好了么"这句话；

一次是因为艾弗琳娜把我放在轮椅里；

一次是为了拿到我的毛巾和手套；

一次是为了我的床（艾弗琳娜帮我整理的）；

一次是为了选择干净的 T 恤，我甚至都没有想要提议穿另外一件（黑色和我那件黄色 T 恤搭配可能会更好看），因为我感觉到艾弗琳娜很匆忙；

一次是因为艾弗琳娜帮我穿衣服；

一次是为了咖啡；

一次是为了抹了黄油的面包；

一次是为了拿一个干净的勺子，因为我的勺子掉在了地上；

一共说了九次。在我去学校之前已经说了九次"谢谢"！然后，我数了一下维克多今天早上说的"谢谢"的次数：

一次是为了回答妈妈的那句"你睡好了么"；

一次是为了倒在他碗里的牛奶；

一共只有两次！

不到两个小时的时间里就有七次"谢谢"的差别！这不公平！我受够了这些"谢谢"和"请"，受够了无时无刻不在询问，无时无刻不在以最礼貌的方式对待家人……我做了一个重大的决定：从今天起，一切都结束了。不管家人高不高兴，我不会比弟弟说更多的"谢谢"或者"请"。如果他们高兴的话，只会认为我没礼貌。

说比做容易得多！如果一个人有十二岁，其中十年都是在轮椅上度过的话，礼貌就是他的第二天性。他说"谢谢"就像呼吸一样平常，想要在短时间内改变真的很难！

当艾弗琳娜回来的时候，她有些生气，因为尼古拉的"小状况"让她迟到了。我告诉她我想放在书包里的东西。收拾好之后，她把书包挂在轮椅的后面，我扶着阿尔贝的手柄——阿尔贝是我的轮椅，我和它一起度过了很多时间，最后我养成了和它说话的习惯，我对待它就像对待一条一直跟随着我的狗，甚至还给它取了名字。

为了从这个早上开始抛弃掉那些"谢谢"或"请"，我只是嘟囔了一句"明天见"。因为下午我回家的时候她已经下班了，她很忙，什么都没有注意到。

然后，直到中午都没有发生什么不寻常的事情。学校并不是特别有趣，但是至少所有地方的学校都是一样的。午饭过后，我要接受运动疗法和起立练习。这些练习都很辛苦：有点像强迫一个不会游泳的人在泳池里游上几圈。至于那些保健员，他们也不是些多愁善感的人。他们工作起来不带任何感情色彩！简而言之，一般情况我们的碰面是这样的：

"你好！"

"今天过得好吗？"

"太完美了。"

克雷斯蒂娜是我的保健员，她还在帮塞巴斯汀训练，我耐心地等着。遇到这种情况，为了给克雷斯（克雷斯蒂娜的昵称）节约时间，我一般都会让别人帮我把鞋和套衫脱掉。这次，我一动不动地等着，并不是那么的明显。我开始感到无聊，无聊的感觉随着时间的持续而加重。塞巴斯汀第一次骑三轮脚踏车，他很喜欢骑，所以没办法让他停下来。当他最后终于不再沉迷于自己的新玩具的时候，克雷斯蒂娜想起了我。

"好吧，西奥，你在那儿干什么呢？还没准备好吗？"

"我在等你。"

她看着我，样子很奇怪，好像在说"他今天究竟是要干什么"，但是她也没有坚持。她可能以为我现在正心不在焉呢。我像往常那样做着练习，没有任何不乐意。结束的时候，她把我重新安放在我的豪华马车里（意指我的轮椅）。通常情况下她都会得到我的一个"谢谢"和"明天见"，但是今天我省掉了"谢谢"。接下来是尚达勒的起立练习。

这个练习并不难，但却令人讨厌……在一个石膏制的外壳里，我们身上被绑上木板，然后有人把这个东西重新竖起来，为的就是我们能够站起来，完全垂直地站起来！我们要在那里待大概一个小时，时间显得非常漫长。当然我们不是孤军奋战，但是我们也不完全是和同伴在一起。如果碰到了坏脾气的高年级学生（他们几乎总是脾气很坏），或者是只想着玩小汽车玩具的低年级学生,又或者是那些无法交流的"精神病人",我们就会感觉这个练习像持续了几个世纪一样久,并且我们永远都没有机会回到地面。通常我都会在书包里放一本书或者是我的 GameBoy 游戏机。除非碰到一个难点:我一个人什么都做不了。

我在犹豫着:要么我不向任何人寻求帮助,继续转我的手指玩,要么我可以试着碰一下运气,不说礼貌用语……一刻钟之后,烦恼有增无减:我抓住尚达勒休息的机会,让她帮我拿书包里的阿斯泰里克斯漫画。

"尚达勒,你可以把书包里的连环画递给我一下吗?"

她照做了,什么都没说。她太习惯于我的礼貌,都没有注意到我的话里缺了什么。她去给我找了个可以斜起来的桌子,把书放在上面并且确定书被安放在一个合适的距离上。真讨人喜欢哪!而我又一次忍住了"谢谢"。这次,她很惊讶:

"你怎么没跟我说谢谢?"

我中计了。但是我装作已经被《高卢英雄的历险记》给吸引了的样子,没有回答她,她也没坚持下去,其他的孩子们还需要她呢……

这天过得很不错，我的"小革命"正在以不为人察觉的方式进行着。睡觉的时候，我自言自语道："终于，礼貌并不是如此地必不可少，因为没有人注意这方面。"

除了……以这种节奏度过的后来几天里，我开始有了不安的感觉。那些意见，如"咦，你不再说谢谢了吗？"或者是"我还没听到……"开始不断增多。刚开始，我都装聋作哑，不予理睬。但是克里斯蒂娜和尚达勒都很固执，她们很清楚即使我有一堆的毛病，但我既不聋也不哑。我决定把一天里面稀少的"谢谢"分给她们几个。我一天里面说"谢谢"的次数要和我弟弟的一样。结果是下午3点之前，我用完了所有的"谢谢"，但还是得坚持到晚上。如果护工或者老师坚持的话，我尽量说些玩笑话，装作看到了一个朋友或者直接不回答。你想让我找什么理由呢？是"对不起，我受够了说谢谢"，还是"我用完了今天要说的谢谢，明天再来吧"，想想他们的脸色吧！他们会冲向电话，十万火急地打电话给值班的心理医生。

事实上，事情还是发生了。我罢工两个星期后的早上，老师和我一起吃早饭。我要参加关于集体生活的一个冗长的说教会，主要就是提醒那些照顾我们的人，他们应该遵守的规章制度、应该做的工作、他们的和蔼可亲和忠心耿耿。这可是一个挑战啊！简而言之，就是一句话："我只能指望着你。"这完全是强迫我去做这件事啊。

现在，我感觉很不舒服。我突然意识到自己行为的改变还是有人发现了的。如果我继续这样下去，可能会使所有的人不愉快。我差点放弃了，特别是我逐渐感觉到自己越来越孤单了。

艾弗琳娜改变了对我的态度：她不再像以前那样和我开玩笑了。同样的变化也发生在保健员身上：他们不再和我说话。更明显的是，以前总会有小伙伴和我玩，但是现在我们的作息时间表不一样了，有几天我们在晚饭前都碰不到面。

另一方面，我也没能经得住打击。在两个星期内我就投降了，因为我的一个老师教训了我。关于一整年的集体生活他知道些什么呢？他几乎每天晚上都会回家。他以为我是从玩弄照顾我的人这件事上寻找乐趣……不，要让我让步是完全不可能的。

因此我继续坚持着我的"拒绝行为"——这是我的心理医生说的，单是这句话就值得我去找他，我得承认我曾经找过他。那次说教过后一个星期，克雷斯蒂娜和尚达勒在我面前非常沮丧。她们应该都非常疲惫，因为我坚持不对帮我上厕所的护工米歇尔说"谢谢"，她们愤怒了。我并不感到惊讶，因为自从我进到保健室的时候，紧张的气氛已经是显而易见了。暴风雨终于来了，她们对我发脾气，并且说麻烦事儿才刚刚开始。事实上，她们并没有骗我。

第二天，我又要和老师吃早饭，但是他的语气已经变了。我清清楚楚地记得他的脸色。我让人感觉不舒服，也不讨人喜欢，大家已经受够了我的罢工。如果我不说明理由并且改变我现在的行为的话，我的保健课将会被取消。另外，我还要和爸爸妈妈在下午 3 点的时候一起去看心理医生。

保健课被禁，这件事猛一下看来是一个奖励而不是惩罚。实际上，情况更加复杂。如果我不再接受运动疗法,医生和整个团队都将会知道这个情况,主任也会参与进来,因为如果没有接受治疗的话,我将会被开除。简而言之,一些严重的问题初现苗头。我没有忘记爸爸妈妈那长篇大论的教导,自己也是极其谨慎,但是事情却更加糟糕了。

最后一次,是我和弟弟在二月的假期里(二月份一般为开斋节假期)发生的一件事。一个下午,我们准备去看电影,妈妈用车把我们带到电影院之后就离开了,她会在电影结束的时候再回来接我们。因为我们从电影院里出来得比较早,我建议维克多去麦当劳喝杯可乐,然后去旁边的电子游戏室玩一会儿。结果是我们错过了妈妈,当我们重新回到电影院的时候她已经不在那里了。好吧,既然已经错过了,不如就借这个机会好好玩一下,我们又看了另外一场电影。

维克多有些气恼,但他并没有不高兴。我们玩得很痛快,这是第一次在外面玩的时候只有我们两个人。路上的行人用奇怪的眼神打量着我们,他们应该是在想到底我们两个之中谁在照顾谁:维克多年纪还小,还不能照顾病人;而我,一个残疾的孩子,也没有办法照顾维克多。这种眼神曾经让我生气，现在我倒是可以理解他们了：那个穿花短裤的小胖妞，她那嗒嗒直响的高跟鞋，还有同情的眼神，在我向她吐了吐舌头之后，她差点崩溃了，立刻就跑开了；那个想要帮我过马路的勇敢的女士，我说了声"谢谢夫人，只是我的轮椅不是电动的，它不会自己往前'走'"……总之我们玩得很开心。

天黑了，维克多想要回家。我们打电话回家，所有的人都惊慌失措：妈妈已经启动了 ORSEC 计划（法国国家民防部门的援救组织计划），爸爸也从办公室里回来了，甚至还报了警。倒霉透了！我们可能会被骂得狗血淋头……

但是他们并没有骂我！当然诸如"我们急疯了"或者"你们有没有想到会发生什么"，此类的抱怨是免不了的，但是这似乎远远不够，至少对于我来说是这样的。因为维克多被"请进去"了两次。那时我正在洗澡，听见家人在跟弟弟谈话："你是家里最小的孩子，但是你得照顾你哥哥。我们不希望你们单独出去。想想看，如果西奥摔倒了，如果他的轮椅翻了，他自己一个人根本没办法站起来。你应该学得理智一些，我们对你有信心。"

这些话让我十分生气……我是最大的孩子，但是要让最小的维克多保持理智！让大家有信心的人是他，而不是我……

所以，这天去心理医生办公室的时候，我一点都不害怕会被爸爸妈妈严厉地批评。但是我知道他们会感到很为难，我并不相信自己。要养育一个身有残疾的儿子并不容易：要宽容但不能纵容，要坚决但不能固执。特别是不要让孩子觉得他和别人不一样，但要让孩子明白他不能像其他人那样做所有的事情。我知道这些东西对于他们都不是非常的明了，但是我也不想帮助他们了解这些。我受够了假装不在乎这个破轮椅的样子，而且我也不想再解释我的态度，这太难了，我宁愿保持沉默。在问了两三个问题之后，他们留我单独一个人待着。

不过，这只是我自己设想的而已。当然我还是去看了心理医生。在和我爸妈交流之前，医生和我单独谈了一会儿话。她成功地让我承认自己受够了待在这个轮椅里，每天在课堂、保健室、起立练习室、劳动疗法室、医生办公室和我的房间之间"跑来跑去"，我也受够了不能随心所欲地去买东西或者看电影，受够了不得不等待艾弗琳娜在照顾完其他小孩之后才给我穿衣服。然而，我没有透露最核心的东西：我没有讲拒绝说"谢谢"这件事。我应该以怎样的一种态度谈论它呢？

她很认真地听我说话，突然，她问我是不是想要离开治疗中心。我没有想到这件事：她没有给我足够的思考时间。我飞快地思考了一下，只说出了一句愚蠢的"我不知道"。最后，我们达成了一个协议：我的练习量将会被减轻，也就是说我每周只用去两次保健室。在新的安排出来之前，我也可以不参加起立或者测力练习的训练。作为交换，我必须向保健师和护工解释清楚我最近的行为。我知道这很正常，但是这也让我很生气。我不知道为什么总是要为人们强加在我身上的事情而道谢。

然后，她跟我父母讲了大致的情况。她又问了我是否接受我们之间的协议，这明显是让我在见证者面前做出保证。然后她站了起来，就在我想要放心地长舒一口气的时候，她亮出了最后的底牌："为什么不试试做运动呢？"这能够弥补一些被取消了的保健课，而且也更有趣，并且体育也可以让我换换环境。爸爸也狡猾地趁机添油加醋地说他觉得这是个好主意："不是吗，西奥？"我嘟囔了一句，他们都不约而同地认为我说了"是的"。心理医生保证她会立刻给保健室的体育负责人打电话。哈，我们走着瞧吧。到目前为止，这件事算是结束了。

爸爸很着急，因为他中午的时候就要离开办公室。爸爸妈妈很快就走了，我突然很想哭，我想和他们一起回家，和家人待在一起。

然而我现在在训练中心的走廊里，还带着份苦差事：像一个五岁的小孩子那样去求别人原谅。立刻解决这件事情也好。我走到保健室里，对保健师说："其实我忘记对你说……"就这样渡过了危机。幸好那些保健师也算是半个心理咨询师，她们也没再坚持什么。

2

几天以后，下午 2 点整，我第一次单独坐着轮椅进到了体育馆里。以前下雨的时候我和小伙伴们到体育馆里玩过。这次不一样：这次是心理医生强迫我来的。总之，我被托付给了体育老师帕特里斯照顾。我得先找到他，有人已经通知他我来了，但是我并没有看到他。我要穿过体育馆去找他，在这么大的空间里我觉得自己很渺小。我只听到轮椅在明亮的地板上摩擦的声音，这是一个很奇怪的地方：像这种地方一般都是给那些身体倍儿棒的人训练用的，但是在这里经常出入的却是一些弯腰曲背的人。我坐着轮椅来到大厅的另外一端,停在了一堆毯子和几张训练肌肉用的桌子后边。

我根据胡子和马拉松选手般细长的身形认出了帕特里斯。他从来没教过我,但是我曾经见过他,他正忙着把一个我不认识的成年人放到轮椅上。一个新来的吗?我们并不经常碰到成年人,除了在餐厅里,而且也不是全部的成年人……我在不同的房间游荡,在这里人们管这些房间叫场馆、教室和训练中心儿童治疗室。这里和放射科室或者整形外科的工作室并没有什么区别,在这里我们可以隐约看到自己的未来。

我得乖乖地等帕特里斯结束他目前的工作。他装作没有看到我,直到那个大人离开。

"是你啊,西奥?你好,我是帕特里斯。看起来我们以后会经常见面的。"

"好吧,你没换衣服吗?你的运动器材在哪里?"

那时,在一瞬间我有些怀疑。这是一个玩笑还是他没有看到我坐着轮椅,一只胳膊有残疾?我待在那里没有动,只是盯着他,眼睛瞪得圆圆的,比那些"头脑不正常"的人还要愚蠢。

"你不会说话了吗?很明显还没有人跟你解释这

里的规矩。我只跟你说一遍：你来这里的时候，要带着或者穿着运动服，比如 T 恤、短运动裤或者厚运动裤、袜子以及球鞋。还要带条毛巾，可以擦擦汗，还有一瓶水和饼干或者水果。你到这里之后，就直接为训练做准备。明白了吗？

"嗯……明白了，但是……"

他什么都没看到，或者他是在嘲弄我。他难道没想过我自己一个人怎么换衣服呢？

"我们要开始了，你先去房间里找找自己的东西。你很幸运，我接下来没有别的学生了，我可以等你。"

老师，您也太可爱了。这家伙嘲笑了我，让我重新穿过整个中心到一个场馆里，只为了一件 T 恤和一双球鞋！不管我是穿球鞋、滑雪板、舞鞋或者是靴子，这又有什么关系？！不管怎样，这个关于体育的故事，从头至尾都傻得要命。用体育课代替了运动疗法，只是为了让我换换环境……其实，这些都还是一样的，还是训练中心走廊的环境。一来一回我要用二十分钟！而且我还要找人帮我拿衣服。在这个时间点上，艾弗琳娜已经快下班了。如果因为我她没有按时下班，她会生气的。更糟糕的是我还要"花费"一个"请"和一个"谢谢"。即使假设维克多从早上到学校开始为了借胶水或者钢笔已经说了一个"请"或"谢谢",这也让我想发疯。

我嘟嘟囔囔地抱怨着,走到了"海鸥馆"——这是我的场馆的名字。真走运,我碰到了蒂埃里——专门照顾小孩子的护工。他人很好,我想碰碰运气。

"喂,蒂埃里,你可以帮帮我吗?我忘记了拿体育器材。"

"没问题,我马上就来,但是得快点,我还得带瑞贝卡去接受运动疗法练习呢。"

我把做运动的"全副盔甲"放在背包里,立马就出发了。很明显,我不想请他帮我把这些乱七八糟的东西都收好:一没时间,二没这个习惯。这个护工被请来也不是做这种事的,我很清楚这一点。在这里,照顾我们的人都是专业人员,他们都有一个非常明确的任务:老师教育我们,保健员对我们进行肢体训练,心理医生帮我们解忧,至于护工,则是各司其职:有人负责把我们从一个地方带到另一个地方,有人负责给我们穿衣服、梳洗,还有起立练习的责人等等。像这样分工,一间房间里大概有6个保姆:一个负责换洗日用织物,一个负责做饭,一个在我们考试成绩不好的时候会骂我们,甚至还有一个哄我们睡觉……但是,她们每十二个小时就换一次班,因为她们已经做完了自己的工作。

我又回到了体育馆,帕特里斯正在放器材的仓库里修补东西。

"我正在想你是不是迷路了。"

呃,他以为发生了什么事情?我的轮椅上为什么没安一个法拉利的马达呢(意思是我走这么慢是有原因的)?

"你准备一下,我把这个轮椅装好就过来……"

我顿时有点惊慌失措!接下来我要做什么呢?告诉他我是残疾人?他会以为我是在嘲笑他。

"嗯,帕特里斯!我……"

"你把鞋子和袜子脱了,换上T恤,我会帮你换裤子的。"

说着,他把我的背包递给了我。

很明显,他是真的有点发疯了。我自己一个人怎样才能把一只脚放在另一条腿的膝盖上，同时又把鞋子脱了，并且只用一只胳膊来做所有的这一切？但是，我不打算临阵退缩。

我忍住一直想要流下来的眼泪，把东西都从包里掏了出来。我不知道要把它们放在哪里，所以就把它们全放在了膝盖上。我真是太傻了！我只要把这些东西放在长椅上，这个长椅就能帮我的忙！不能再恐慌下去了。先是上面的衣服，这是最简单的。我先把残疾胳膊那边的袖子给脱掉，然后是头，我抖动肩膀，让衣服滑到另外一边胳膊那里。我用同样的方法脱掉了另外一件 T 恤。啊哈，成功了！我感觉像过了几个世纪一样久。

现在该脱掉鞋子和袜子了，我得先思考一下该怎么办。我可以弯下腰，用右手抓住左脚，可是接下来，另一只脚却动来动去的，不听我指挥。我得把它卡在一个地方固定起来。我朝四周看了一下，发现了一张用来施行运动疗法的台子。也许我可以用它来让我的脚卡在一个地方。在几次失败的尝试和身上碰出几处淤青之后，我终于让脚"安静"了下来，接着脱掉鞋子和袜子。另一只脚,用了同样的方法,身上又添了几处淤青。我做这些事情是为了什么呢?我感觉眼泪又涌了出来,我咬紧牙关。这时我已经精疲力尽了,还没来得及喘一口气,帕特里斯就来了。

"小家伙,换好了吗?准备好要流汗了吗?"

在经历过这一切之后我发现他的幽默感真是让人抓狂:我没想到还有要流汗的锻炼项目……我浑身上下已经被汗浸湿了!

当他把我放在一个台子上的时候,我意识到事情还没完。

"你把牛仔裤脱了,我帮你穿运动裤。"

啊,是啊,如果一个人不能靠着肘关节支撑整个身体,他的双腿也软弱无力的时候,他该怎么做这件事呢(指换裤子这件事)?帕特里斯,一个健康的人,可能没想到这一点!但是我还是得做这件事。

最难的一步就是把裤子从我残疾的那半边屁股下穿过,然后再坐起来,脱掉一只裤腿,然后是另一只。我得重新直起上半身,用右手撑起整个身子,猛地发力,以便我的腹肌能够发挥作用,尽管我的腹肌并不发达。

最后，还得保持平衡。我的右手忙着脱掉那该死的牛仔裤，没办法支撑我的身体。我摔倒了至少四次才把裤子脱掉。有几次的时候我竟然羡慕那些双腿残缺的人。因为腿对我来说什么作用也不起，最好把他们给锯了……如果我相信中心那些截肢者的话，这看起来也不是什么好的打算。即使没有了四肢，它们仍然让我感到痛苦。这关系到神经……好吧，不必再白日做梦了。

看，虐待我的人回来了。

"好吧，现在轮到你的运动裤了。瞧，它很好看的，你穿上它就能表现得很棒啦！"

真搞笑！他把裤子递给我，意思就是说："自己想办法穿上吧！"我现在没刚刚那么惊讶了，在我心里已经勾勒出来他的形象了。但是这次他没有走，而是站在那里看着我如何用腿、裤子和我唯一能用的胳膊自救。他不会帮我的，这会伤害他，这会让他感到疲惫的！

接下来要穿上运动鞋。我记得把它们放在运动背包里了。他可以要求我自己去把鞋拿过来！但是，他却没有，他把鞋子拿过来并且帮我穿上。看来他也不是那么的铁石心肠，不是吗？

"太棒了！我们穿戴好了！"

好吧，现在时间也不早了。尽管我很愿意去睡个觉……我想今天的运动量已经够了。

"嗯，我该让你做什么运动呢？乒乓球和射箭，你可以试试这两项运动。这两样，你选一个吧。"

乒乓球，在迫不得已时我才会选，但是射箭，我怎么用我的橡胶胳膊去握弓箭呢？

"乒乓球，这个没问题。你用左手移动你的轮椅，右手拿球拍。"

谢天谢地，我猜到了！

"至于射箭，你得用一个支架，学会用你的左手控制弓。"

只是这些就够我受的了！

"不管你选哪个运动项目，都要锻炼你的腹部和你的两只胳膊。"

他觉得我这么多年在运动疗法课上都干了些什么？

"另外，我们就从这个开始吧。"

我立刻就被放在了一个锻炼肌肉的台子上，双腿被缚在一起，要连续做仰卧起坐。我的目标：一口气做五个。不能偷懒！帕特里斯一步也不离开我，他甚至替我数着数。我感觉就像举起几吨重的东西。一个，两个……扑通一声，我太累了，直接倒在了地上，大口地喘着气。帕特里斯等我恢复了正常的呼吸，又说道：

"加油，我们再来一次。"

我很欣赏这个"我们"，好像他和我一样也在大口喘气。他说话、数数，好像一点儿也都不累。啊，我该说说弟弟的体育老师。看起来，在学生们没紧跟着球跑的时候他会在上面大声喊叫。但是，在学生们锻炼的时候，他却安静地坐在场外的长椅上休息！这可能是这个职业的一大特色：让别人流汗！

一个，两个，三个……好吧，又来了。

"我烦了，可以停下来了吗？我很累。"

"再来一次，然后我们就做别的练习。一，二，三，四，五！太棒了，你成功了。"

谢谢你的这个"你"，是的，我已经成功了。

然后我们又开始练习哑铃。我远比不上那些身材魁梧、双腿又短的大块头，他们举起的哑铃上装着数不清的铁盘。我只是最轻量级的男选手，右手举着一公斤重的小哑铃坐在轮椅里。刚开始，我在想：这实在是太简单了！但是，三套动作做完之后，我的胳膊已经没有知觉了。

终于可以休息一会儿，这对我来说真跟过节一样！

过了一会儿，帕特里斯回来了，手里拿了个球：

"过来，我们试试篮球！"

我本以为会是乒乓球或者射箭呢！事实上，说是打篮球，实际上是往放在我对面的筐里投球。但是，因为这该死的左胳膊，我能做到的只是当球落在我脚边的地板上时发出的那可悲的"嘡"的一声，这声音在空荡荡的体育馆里回荡着。我比那些电视上三米外就投中的大块头们差多了！

帕特里斯什么也没说，只是把篮筐又向我挪近了五十公分。我仍然觉得如果能投中，那真的算得上是丰功伟绩了。我几乎要哭了出来，又试了一次。这样的折磨什么时候才能结束呢？

"坚持住！你就快成功了……"

"这太难了……"

"专心一点,放松,做深呼吸! 如果这次没投中,下次肯定可以⋯⋯"

我还在努力地投这该死的球⋯⋯依旧没有命中。

"你看,这是不可能的事情⋯⋯"

"不是的,你会看到⋯⋯加油。我们停下来吧。我建议你尝试一个更小的球⋯⋯"

我们朝乒乓球台走去。一些台子被大人们占着打球,他们都坐在手动轮椅里,而且打得很不错。他们的两只胳膊都很强壮。

帕特里斯给我示范了如何在球台边定位,如何握球拍。他把球掷回给我,或者更准确地说是他把球掷给我,因为十有八九我都会把球打偏或者干脆就没打到球。幸亏我不用到球台下面捡球。帕特里意识到我不能跟着球跑⋯⋯渐渐地,我调整了自己,开始能够打到球了,尽管这些球都是从同一边打过来的。

"最后一个练习:我给你发球,一次从左边发,一次从右边发。你就用反手和正手打球。"

我做到了,只是我的右胳膊很累。过了一会儿,我就连一个球也打不到了。

"你累了，今天就到这里吧。你做的很好！"

终于结束了！我快累垮了，但是我觉得打这个小球更让我开心。

"擦擦汗，别着凉了。换衣服去吧，我就来。"

我用尽最后一丝力气脱掉湿透了的 T 恤，穿上了干的衣服。现在我已经掌握了一些技巧了。帕特里斯想过来把我抱到桌子上，但是我不想让他这么做。我自己要穿上裤子太困难了，他帮了我的忙，我很高兴地接受了。

"这些训练还行吗？"他边帮我穿鞋子边问我。

"嗯，还可以。"

"你带了吃的东西吗？"

"没，我忘记了。"

"等一会儿，我很快就回来。"

过了一会儿，帕特里斯给我拿了些饼干和一杯水。他帮我坐到了轮椅里。

"给，在这儿休息一会儿，吃吧，喝杯水然后安静地回家。明天这个时候再见。"

"谢谢。"（维克多下午的时候肯定说了一个谢谢。）

走的时候，我绕到了篮球场。那些大人正在绕着体育馆跑步热身。他们坐着轮椅做的练习实在是太棒了。他们跑得飞快，其中一些抓住了一根固定的杆子，靠着臂部肌肉的力量让身子直立了起来。要是我也能做到那样该多好！我第一次真正地怨恨起自己的左胳膊。要是我只是瘫痪了，上肢没有问题就好了，我就能做这些事了！

"他们很强壮，是吧？"帕特里斯碰到我时这么跟我说。

"是的，他们真是超级强壮啊……"

"你也会和他们一样的，很快。"

"这不太可能，我的这个胳膊……"

"肯定是用你的右胳膊。然后你也可以借助于你的后背和腹部……你的乒乓球打得很不错。你对球的判断很准确，进步也很快。如果你想的话，明天练习完乒乓球之后，你可以试一下射箭，只是为了看看你更喜欢哪个。这样选择项目的方式可以吗？"

"好的。"

"好了，现在走吧。去休息吧，要不我可不会轻易同意哦。"

我回到了场馆里,在那儿我的"电动"轮椅得到了我的青睐!不过我得自己推着轮椅到自己的房间……我太累了,没等到一个花钱雇来的好心人来把我放到床上去,我自己直接躺到了床上。我胡乱地躺在那里,但是没关系。我从来没这么高兴地躺着过。我很累,但是很放松,对于一个像我这样的孩子来说,这是一项功勋。一阵睡意袭来,我闭上了眼睛。

弗朗索瓦兹把我叫醒的时候已经下午6点了!我睡了一个半小时……

"我们到处找你!你本来应该去自习的。"

"我睡着了……"

"我看到了。下次记得告诉我们一声,我们也不用把中心翻个底朝天去找你!"

真稀奇!如果不跟大家说的话,我甚至都不能睡午觉了!难道我就不能有自己的私生活吗?

"好吧,我就过去。"

"不用去了!如果你有作业,你可以在这里做。我去告诉大家找到你了。半个小时以后我来给你洗澡。"

　　早上的课对我来说已经是很遥远的事了……我想起来我还有数学练习要做，还有地理课要预习。我可能没时间了。呃，但是我还在床上！该怎么去书房呢？弗朗索瓦兹当时心慌意乱，根本没想到要把我送到书房去。我也不想按铃，我决定自己试一试。因为之前我已经成功地只靠自己就能脱衣服和穿衣服了。我在脑子里回想"转移"的步骤并且大胆地付诸行动。我差点儿没做好这件事，但是在几个惊险的动作之后，我终于坐到了轮椅里。坐垫掉在了地上，我的右胳膊因为刚刚被我用了太久而不能动了，但是我成功了！如果来生我是一个身体健康的人，我肯定要做一名杂技演员！

　　我缓过神来的时候，弗朗索瓦兹突然出现在我房间里。

　　"我可怜的宝贝，我忘记帮你坐到轮椅里去了。啊！你自己做到了。我是疯了，还是怎样？你刚刚是在床上吗，还是我在做梦呢？"

　　"是的。"

　　"那是有人帮你？"

我带点咄咄逼人的口气答道：

"没人帮我，我是一个大男孩了。"

"啊，是的。一会儿见！"

"好的。"

我没有看她，因为不想露出胜利的微笑。实际上，这只是一个小小的胜利。如果小孩子有了大人的耐心，想要什么事情都自己一个人做，他们也能取得这样的胜利。我没有看到弗朗索瓦兹脸上赞成的和自豪的微笑，也许是因为她不是我的妈妈。

突然，我很想妈妈。如果我爱的人不知道的话，这样的胜利又有什么用呢？为了节约一个"请"和"谢谢"。事情已经是这样了，我得知足了。

我匆匆完成了数学练习，专心于地理课。法国的行政区划分，真是一点意思都没有。但是我得努力，因为我的成绩不好。在我跟那些老师最后的争执之后，我并没有不想理睬我的地理老师米歇尔。

时间一分一秒地走着，弗朗索瓦兹在 6 点 50 分的时候回来了。

"真抱歉，西奥。我没法再快一点了。洗澡要等到晚饭之后了。没关系吧？”

"没关系,没关系,你别担心！"

"你自己洗手,然后下来吃饭吧？"

"好的,好的。"

她有时把已经十二岁的我和那些什么都需要帮助的小朋友混为一团了。

我推着轮椅一直到餐厅,找到了小伙伴们。我有很多事情要跟他们说！

"怎么样,西奥？你的体育课还好吧？你做好参加奥运会的准备了吗？"

这是卡里姆！

我跟他讲了下午的课,特别是在下午之前的那些考验。

"这个老师,他是疯了吧！"

"你本应该把他赶走的。"

"如果我是你,我就会逃走。"

"你不会再回去的,是吧！"

我真想知道为什么,这些支持我的反应反倒让我觉得很不舒服。我有一种罪恶感。为什么呢？不管怎样,我都不太想告诉他们其他的事情:肌肉锻炼,篮球,乒乓球。我又重新"包装"了一下关于杂技演员的那些功绩。毕竟,没有什么可以炫耀的。而且我也不知道能不能再一次做到这些事。我感到很孤独,而且很难受。

幸亏,卡里姆兴致勃勃地说起了他这一天的糗事。特别是当他说到把从厨房里偷来的橄榄油抹到他的站立套壳背心上,想要在轮到他就捣乱的时候,我忍不住笑了!我可以想象得到保健室里杂乱不堪的情景!

3

　　我那天晚上的顾虑很快被打消了。我的丰功伟绩，我又一次做到了！在第一次成功地从床上转移到轮椅里之后，我又成功地做到了很多次。当我请艾弗琳娜把我的衣服换个地方时，她并没有立刻反应过来，我是想让她帮我把衣服放到我能够得着的地方，这样我前一天晚上就能自己把东西准备好。我醒来的时候也只需要抓起衣服就能自己穿上了。

　　我不会告诉你们艾弗琳娜第一次看到我穿好衣服坐到轮椅里的表情。她还以为我是穿着睡衣躺着呢！我又用同样的办法洗漱、准备课堂上用的东西。因为最初我房间里的东西变得杂乱无章，艾弗琳娜总是想把所有的东西都收拾好。我并没有因此而指责她，但是我按照自己的方式又把东西重新整理了一遍，然后在一张纸上写上大大的几个字"请不要动我的东西"。她没再像那样整理过我的东西，我猜她应该把这个消息告诉了别人，因为当她休息的时候，代替她的那个保姆就会注意这点。当弗朗索瓦兹发现我第二天要用的东西都已经放好了时，她也没说什么。总之，我不知道我是想让她沉默呢，还是祝贺我呢，或是开我的玩笑呢。

在十几天的时间里，我平常说"谢谢"的次数明显减少了：从起床到出发去学校，我可以比以前少说四个"谢谢"。当然，没有别人的帮助，我自己也能应付得越来越好了！

一天早上，我想要自己整理床铺。艾弗琳娜看到了，发起了牢骚：

"看看我照顾的这个小孩儿！他除了我要干的事儿以外没别的事可做了！如果你继续这样下去，我的工作就要丢了！快出去，快快！让我把东西整理好！"

艾弗琳娜说的话虽然不中听，但是她对我还是很客气的。

白天的时候,我也可以少说两三声"谢谢",即使这是以灾难为代价的。在餐桌上,我第一次想要拿走盛早餐的托盘,但是我把它打翻了。

"你可以再等两分钟的,西奥,我一帮瑞贝卡弄完就……"

我什么也没说。

第二天,我又重新试了一次,这次我很好地把托盘的重量分散了。问题是中午的托盘很重,我一只手不能拿很久。我要跟护工说说这件事,他们也许能帮我在轮椅上装一个小板子。

最后我放弃了射箭,因为实在是太难了。我更喜欢打乒乓球,我想我可以和维克多或者爸爸一起打球。帕特里斯给我示范怎样才能快速移动轮椅,又不让轮椅撞到球台。最难的是协调这两个动作:一边要跟上球,一边又要用左手控制快速移动的轮椅。这样的动作,我觉得那些身体健康的人也不一定能做到!

在肌肉训练上,我也有了进步:我一口气可以做十个仰卧起坐，并且可以连着做三套动作。因为练习哑铃，我的右胳膊也变得强壮了点，我完全可以靠着做这些运动来强身健体。在我开始做体育运动几周后，帕特里斯又帮我报名参加了中心举办的比赛。我虽然只是初学者，但是却很想赢一两场比赛。我的朋友们也向我保证他们会尽力找出时间来给我加油的。我可以指望卡里姆"重新安排"他的日程表，我也希望爸爸妈妈在比赛现场。

　　比赛那天，我很激动，提前一个小时穿好衣服到了那里。体育馆里一个人也没有。球桌已经准备好了，放在大厅的中央。我决定先热一下身。我练习了哑铃，又在一条长椅上做了几套腹部训练。帕特里斯看到我的时候，我正在努力练习。

　　"你在那儿干什么呢？时间还早着呢！"

　　"嗯，我想先锻炼一下。"

　　"你说说你，汗湿透了，要感冒的！你的东西在哪儿？"

　　"在篮球架那儿。"

　　"给，擦擦汗！我去看看能不能找到件干的 T 恤。

现在你待在那儿别动，我还有很多东西要准备呢。"

他递给我一件很旧的 T 恤，我穿上太大了。要是穿着这个比赛我会显得很傻的！突然我的心情有点低落。像我这样想要好好比赛的人，最低的底线是不要招来责骂！

"好了，过来吧。我的事情做完了，如果你想的话我们去打几个球吧。"

"太好了！"

妈妈和维克多一起来了。她甚至允许维克多半天不上课来看我的比赛，这真是件大事啊！我没进入决赛，但是我赢了两场比赛：一场的对手是弗雷德，他是一个比我小的、腿部瘫痪的孩子，另一场是和一个身材高大的人比赛。最后一场比赛我遇到了一个成年人。我输了，但是我努力了，而且中途还扳回了一局。朋友们拼命地为我加油。我看到妈妈和维克多也和他们一起笑着。比赛结束的时候，我感觉自己真的很傻。就这么结束了，我突然觉得心里空落落的，感觉很累。我听到帕特里斯对我说：

"打得好，西奥，这次尝试很不错。去换衣服吧。"

在我专注于杂技时（意指自己换衣服很困难），做得越来越好了！我和帕特里斯谈起了比赛，我哪里表现得不错，哪些地方仍然需要继续努力。这次谈话让我重新鼓起了勇气。

妈妈和维克多一起过来看我了。她很感谢帕特里斯给我上的课。在他们俩的谈话里，妈妈也说了很多的"谢谢"，因为我……我从来都没注意到这点。我感觉很羞愧，这是我的缺陷，不是妈妈的，尽管我还在拒绝说"谢谢"……

帕特里斯要回去照顾其他的学生了，他用手揉了揉我的头发，约定好星期一的训练。我感觉喉咙阵阵发紧，在这样的时刻我想哭，我真是疯了。我想爸爸了。我咽下了眼泪，眨了几次眼睛，当我觉得可以抬起头看妈妈了，便问她：

"爸爸不能来吗？"

"嗯，宝贝儿，他得去巴黎出差。但他保证下次比赛的时候会来看你。"

"没关系。"

这是个谎话。我知道，妈妈也知道。我破坏了气氛。幸亏朋友们吹着口哨来了，我们一起去餐厅里喝了一杯。总之，这一天过得很不错。我睡着了，在梦里我甚至能打败那些强壮的人！

这次比赛激励了我，我开始沉迷于体育馆，以至于我的朋友们都开始抱怨了：

"我们都看不到你了。我们受够了要想见到你还得跑几公里的路。你都不知道你错过了什么！昨天，我们把小雷欧藏起来了。他不想上运动课，所以我们把他藏在了卡里姆的浴室里。马努、艾弗琳娜还有所有的大人都去找他了。简直太搞笑了！大家找到他的时候，他已经睡着了！他被骂了，但没那么严重，因为有很多事他还不懂。但是，他还是逃过了运动课……"

"是啊，这确实很搞笑。"

我并没觉得这件事有多可笑，但是我不想让他们不高兴。这种笑话已经不像以前那样能够逗我开心了。按照我朋友的说法，我更喜欢"打小球球"或者"锻炼肌肉"。而且我的右胳膊变得特别强壮，左胳膊也逐渐能抬起来了。手腕得到了锻炼，我能把球扔得更远了，有一次甚至把球扔进了筐里。篮球不太适合我，我还是继续打乒乓球比较好。但是，我很高兴，因为我现在和帕特里斯相处得特别好。我觉得只要很短的时间，如果肌肉训练的台子被调整到合适的高度，我也能自己一个人上去。

一天，我不露声色地对帕特里斯说我想在训练完洗个澡，但是我并不是真正地请求他。我才不想浪费一个"请"字呢。而且，我知道他如果拒绝了，我会很尴尬的。我换了一种方式说：

"真可惜，这里没有护工，要是能洗个热水澡肯定很痛快。"

"如果没有护工，你自己一个人可以吗？"

"呃，我不知道怎样……"

"想想哪些你可以自己做，哪些对你来说比较难。我们明天再聊聊。"

晚上，当弗朗索瓦兹来给我洗澡的时候，我在脑袋里分解了所有的操作步骤：脱衣服，这个我自己可以；到专门的莲蓬头下面去，这对我来说有点难度；在身上涂肥皂泡泡，如果我可以保持平衡的话，这个也没问题；

从浴室里出来，完全不可能；擦干身子，如果可以随便擦擦的话，这个也可行。穿衣服，也没什么问题。

"西奥？你是跑到月亮上去了，还是生气了呢？"（注：法国谚语，"在月亮上"意为"心不在焉"。）

"哦，抱歉，弗朗索瓦兹，我在想事情。"

"啊，真抱歉，先生！你在想什么呀？"

"哦，没什么，想我在课堂上看到的东西……"

"我还不知道你对学校这么感兴趣呢……"

我不经大脑思考，胡乱地回答着。她也许能帮我找到解决的办法。但是直觉告诉我就算我问她，她也不一定能听懂。当她把浴室收拾完之后，我告诉自己在一个人能够独自在体育馆里洗澡之前，我应该在自己的房间里练习一下。

我已经十二岁了，不想让任何人看到我没穿衣服的样子。维克多比我小五岁，但是他洗澡的时候已经不让妈妈进浴室了。我不想因为自己有残疾就得在所有人面前展览自己！

晚上，我躺在床上翻来覆去地想着这个问题，但是仍然没有找到解决办法。第二天，帕特里斯好像忘了这件关于洗澡的事，我也不敢主动跟他提起来。他也无能为力，现在不是去拿这件事打扰他的时候。

练习完了之后，我还是精力充沛的样子。我没有回到场馆去睡午觉，相反，我去了中心停车场边的海岸上闲逛。

在柏油马路的尽头，我继续往海滩和围着海滩的栏杆那边走去。我想欣赏一下海景，顺便看看帆船学校的那些船，并且不用每三分钟就跟那些我认识的残疾孩子或者是护工打招呼。

我推着老阿尔贝（小主人公的轮椅）在满是石子的小路上走，在经历完这段石子路的折磨之后，我终于到了栏杆那里。突然，我想知道如果我像正常人一样，那些我不认识的身体健康的人会怎么看我。

我走进一丛怪柳树林，从轮椅上滑了下来，在这个过程中我的身上又被撞出了几块淤青。之前的肌肉练习让我能够一直爬到沙滩上，但是这时我已经是气喘吁吁了。两只胳膊都受了伤，我坐起来，面对着大海。我感觉很舒服，晒太阳的感觉真好。

我听见教练员在他的"左蒂亚克"号上大叫。他正在教两个男孩儿如何把他们的"乐观"号驶进三角形练习中的三个浮标里。也许是他解释得不好，也许是那两个男孩儿没有天分。不管怎样，当我看到他在交通艇上指手画脚的时候，我自己一个人笑得很开心。

一些散步的人从我身边走过，其中有一个跑步的人，还有一对遛狗的夫妇，他们的狗过来嗅了嗅我。我一直抚摸着它，并且和它的主人聊了两分钟。第一次，我没有从别人的脸上看出因为我的轮椅而引起的尴尬。他们的微笑、他们的语气也并不是过分友好，他们的目光里也没有我平常从人们眼中看到的那种想要躲开我的欲望。

天慢慢黑了。我看了一下时间。天哪，已经7点钟了！我晚饭会迟到的，所以我必须要回去了。我一直爬到我的轮椅那里，它在乖乖地等我回来。就是在那里，事情开始变得糟糕了。

在我试了两三次以后，终于屈服于现实：我自己一个人是不可能再坐回到轮椅里去了。我感到惊慌失措，喉咙一阵阵发紧。

"冷静，西奥，没关系。"我给自己暗暗鼓劲，一遍又一遍地重复着,但是这丝毫不起作用,我没有任何办法。眼泪开始流下来。我很害怕,但是我更生自己的气。为什么我自己一个人做不到?我在两个月里已经解决了一堆的问题。那又是什么让我不能爬回到轮椅里?

我不再哭了,也没有力气了。一直爬回中心是绝对不可能的。我在轮椅旁边躺下,静静地听着海浪的声音。我渐渐安静下来,感觉似乎很好。我没有大叫,也没想让任何人来帮我,我甚至不想让任何人找到我。最好就躺在那里,把所有的事情都忘了吧。

4

　　是一个女老师——卡特琳娜发现我的。她下了班，正准备到海边随便走走。这时她看到怪柳丛里露出来的我轮椅的手柄，这让她很惊讶。一般在这个时间点上，所有的人都应该回去了。我没有任何意识，至少没有意识到别人跟我讲了什么，因为我什么都不记得了。我醒来的时候是在床上，累得筋疲力尽，身上盖着堆得像小山一样的被子。艾弗琳娜在那里，她不停地走来走去，并且抱怨着：

　　"不能让一个小男孩儿独自一个人去瞎逛……以前，事情根本不会这样！现在，这些孩子想要自由，不想让我们管得太多。出了这样的事也不会奇怪了……可能什么事情都会发生……唉，真是的，真是的……"

我很想笑，渐渐地我想起来发生了什么事情。我突然感到非常沮丧，眼泪突然涌了出来。我藏在被子下面，不想让艾弗琳娜听到。要是他们没找到我的话……

我真的做不到（指自己独自爬上轮椅这件事）！我总是要请别人帮我、感谢别人。这几个月我为了自己一个人能够应付这些事情所做出的努力全都白费了！我将会在等待皮埃尔、保罗或者菲利普乐意帮助我的过程中度过我这一辈子，我和中心的那些大人们很像，他们在海边或者走廊拐角绕着圆圈转一转，或者是看看大海。在我努力自己穿衣服或者从床上爬到轮椅上的时候，他们肯定在那儿偷笑呢。我是赢了几场战斗，但是我输了整场战争。从出生开始我就输了，我抽中了下下签，这是没法改变的事实。

妈妈来了，她看起来很累，这一切都是因为我。但是我不想安慰她，因为首先我现在在这里都是她的错。她在我出生的时候就应该把我弄死，而不是让医生保住我的命。我什么都没说！

他们都在那里，照顾我的腿、我的脊椎，还有我这畸形的身体的其他部位，更别提我的心态和我的教育问题了！他们都要我努力，要我努力成为一个好孩子，就好像我必须要为了一件蠢事去求得大家的原谅，但是其实我什么都没做。

妈妈走了，我们什么也没聊。

接着是心理医生，她很专业，很能体谅别人。"你现在很沮丧，不是吗？你要看到你已经取得的进步，你也需要别人的帮助。你自己一个人做得很好，你感到灰心失望是因为你并不是每件事都做到了。"嗯，是的，就这些吗，然后呢？知道我的感觉，这很好，但是谢谢，这些我也知道。我要找的是解决的办法。"接受你的缺陷，并学着在生活中习惯它。"这是她给我的建议。

不！我不想接受我的缺陷。为什么我要接受一个我从来没有主动要求过的东西，而且这个东西只能给我带来麻烦。医生说的可不是件容易的事。

我答应当我好起来的时候就去找她，她才放心地离开了。

然后我的朋友们来了。至少他们没有对着我讲长篇大论。他们跟我说了我的"开溜"引起的混乱。看起来所有的人都被动员起来到处去找我了！他们甚至看到一个保健员清空了装脏衣服的篓子，想检查一下我是不是在里面！在餐厅里，那些服务员被骂了一顿，因为他们没有在我"失踪"的时候立刻发现这件事情。卡里姆等人看到尚达勒在保健器材仓库里找我，就把尚达勒反锁在了仓库里面。简而言之，他们在我热情渐渐消退的时候在我旁边笑得很开心……听着他们说话，我也不得不和他们一起大笑。既然无论如何都逃脱不了待在这座监狱的命运，那就尽可能地高兴起来吧。

休息了几天之后，我开始下床了。因为我很疲惫，所以日程安排没那么紧。这也仅限于我要上的课，别的照旧，而且持续的时间也不长。一个星期以后，我就重新去见了心理医生。她跟我说了很严肃的事情。我得选一个：要么我继续回去上保健课，要么我重新开始体育锻炼。如果两个都拒绝的话，那我只有回家了。回家这件事很有诱惑力，但是我知道这对妈妈来说是个灾难。她每天从早到晚要拿我怎么办呢？她怎么才能找到一所肯接受我的学校呢？不，不可能！还是别做梦了。我要求用二十四个小时的时间来思考这件事。心理医生答应了。太好了！实际上我只是想争取点时间，尤其是不用思考的时间。我回到屋里躺下，耳朵里塞上随身听的耳机。

就因为这样，所以爸爸进来的时候我没听到。

他抚摸着我的脸颊，我睁开眼睛，看到他坐在我身边。我把耳机拿了下来。

"嗨，儿子！我以前没来这里是因为我想你可能不是特别想跟别人说话。我在下面见到了卡里姆和你的一群朋友们。他们跟我讲了你'开溜'的故事……还有他们自己的糗事。我笑死了。"

我只是笑了一下。

"我知道，工作不应该成为一个借口，但是这段时间我真的有很多工作。这也是为什么我不能来看你的原因，尽管我之前已经打算好了。而且，你妈妈也跟我抱怨了，因为我让她一个人为维克多四处奔忙，维克多现在不是特别容易管教。他长大了，而且他好像一直跟他的朋友们讲你打乒乓球的成绩，直到他们听得都快烦了。他还给他们看妈妈拍的照片，他很为他的哥哥骄傲。我也是,我为你骄傲。比赛那天我没来,但是我一整天都在想着你比赛的事。我跟你保证下次比赛我会请一天的假。这样,就没人能差遣我了。"

"爸爸,我不确定我是不是要继续······"

"我知道你感觉很沮丧。即使我不常来看你,我也知道你所付出的努力。妈妈跟我说了艾弗琳娜和弗朗索瓦兹告诉她的事情,就算我不是心理医生,我也知道你想要更多的自由。你已经长大了,妈妈不能再像对待婴儿那样保护你了!这并不是最难的事情!"

"但是我就是做不到!我甚至都不能自己坐到轮椅上!我总需要别人来帮助我!"

"呃,这件事!你在想什么呢?我们都需要别人的帮助······"

"是的,但是对我来说,这不一样!很简单,我自己一个人什么都干不了。"

"你太夸张了,而且你知道,几个月前,你自己一个人都不能起床,也不能穿衣服。在餐厅里,你也不能自己盛菜。你甚至都没有想象过自己有一天能够做到这些!我敢肯定你第一次成功地坐到轮椅里的时候,你肯定比任何一个冠军都要骄傲。战胜自己比取得任何成功都值得骄傲。而且，还有乒乓球，你打得很不错。除此之外，还有帕特里斯……"

"哦，帕特里斯，他都没来看我……"

"我来的时候在走廊里碰到他了。他很担心，他在等你，但是又不想逼你。他跟我说他很想你。"

"等等再说吧……"

我这么说是不想让自己表现出想要让步的样子，实际上我感觉好多了。爸爸说的都是真的。几个月来我做到了很多事情，这些都是我以前感觉自己做不到的事情。这种情况可以继续下去……

"你出来陪我走走吧？"爸爸对我说。

"如果你想出去的话，好的……"

这是自从我来中心之后，第一次单独和爸爸出去，而且是在规定的探视时间之外出去。爸爸在等我，并没有说要帮我做什么。尽管他装作在翻看我的乒乓球杂志，但我清楚地知道他在用眼角的余光看着我。他尽力地把我当成一个正常的儿子来对待，他的儿子在换运动鞋出门。我的身体像生锈了一样变得有些迟钝，跟"开溜"事件发生之前相比,我花了更多的时间穿鞋。我很高兴爸爸有耐心等我,这就像等一个口吃的人结结巴巴地说出那个我们已经猜出来的词一样。

我们从体育馆门前经过,这时正好面对面地碰上了帕特里斯。

"小家伙,你好啊!身体终于恢复了?"

他总是能说出让人发笑的话来,这个人!但是至少他心直口快……

"我还以为你死了呢!幸亏我从卡里姆和杰约姆那里知道了你的情况!我正好在游泳池碰到了他们。你知道吗,我们买了一张新的球桌和几副全新的球拍,还有一个新的锻炼肌肉的机器,你可以来试试。哎,你们为什么不来看看呢?勒·加莱克先生,您不忙吧?"

"不忙不忙,这次我有时间。"

因此,我又踏进了体育馆的大门,站在了腹部锻炼器材的面前。

"但是,帕特里斯,我没带自己的东西……"

"今天我就睁一只眼闭一只眼!别担心!只是看看你是不是变得跟口香糖一样软弱无力了。"

他们两个开始谈论下次的篮球赛，我自己开始锻炼。该死，人的精力怎么消退得这么快！刚开始我只能连续做五个仰卧起坐。爸爸看着我，脸上肌肉紧绷，感觉他正在努力微笑。当我完成所有练习动作的时候，他终于放松了，就好像自己重新又能呼吸了一样。从这里我看出来他真的很为我骄傲。

接下来，我试了试新机器。在这台机器上可以很好地锻炼胳膊，同时又不至于扭伤背部。然后我还和帕特里斯打了几个球。后来他把球拍给了爸爸，我们打了个小小的比赛，爸爸赢了，但是没赢几个球。我还没有把学的全忘记。然后我们就跟帕特里斯告别了。

"明天见,西奥！"

"明天见,帕特里斯！"

我在不知不觉中就决定要重新开始锻炼,哈,走着瞧吧。

我和爸爸在海边逛了一圈，又从海边栏杆那里经过了一次。我停了下来，重新回想起那天的感觉。一阵恐慌过后，我有了想要放弃的念头，我对可能发生的事情抱着无所谓的态度。我生命中第一次向不愿奋斗的愿望屈服了，这种感觉真的很好……这时候，我感觉爸爸的手放在了我的肩膀上。

"你知道，我只想要你这样的儿子。"

不知道为什么，我感觉很愧疚，我装作没听到。

"走吧，小男子汉？快到晚饭时间了，我会被妈妈撞见的！"

"好吧。你会再来看我吗？"

这明显是个愚蠢的问题，因为我不敢明确地说"单独"这个词。这不是因为我不想让妈妈来，但是我更喜欢男人间的交流，就像今天和爸爸在一起一样。

"我当然会来。而且我在拐角那儿有一个工地，这样来看你就更方便了。我可以时不时地溜出来看你。最后我向你保证下次比赛的时候我会在那里。"

"太好了，那再见啦。"

爸爸拥抱了我，然后朝着他的车走去。我单独回到了中心，但是很奇怪，我的坏心情全都烟消云散了。爸爸让我重新鼓起了勇气。百年不遇地，我和朋友们在餐桌上又像从前那样一起说笑。

5

第二天,我又重新开始训练了。除了朋友们,没人注意到这件事:

"太好了,你又重新开始了!冠军又得像总理那样把行程排得满满的!那我们呢?你不用每天都去那里训练吧!你的教练还是比我们更搞笑吗?"

卡里姆有点嫉妒了,当他生气的时候会变得很讨厌。我走开了,不想跟他说我是怎么看他的,省得又惹他不高兴。我有点难过,也越来越孤独。我感觉和朋友们已经聊不到一起去了。我很清楚他们不明白我为什么这么努力要自己做这些事情。而我,也受够了卡里姆的笑话和杰约姆的态度，他把让别人替自己干活当做一个准则。是的，无论如何，他从来都没有说过"谢谢"……

其余一切都很好，至少到这个星期四，距离比赛还有十几天。

训练的时候我很热，因为阳光透过大玻璃窗照进了体育馆里。我想洗个澡，不想浑身是汗地去上课。

"哎，帕特里斯，你觉得我可以在走之前洗个澡吗？"

"小家伙，不是我不想帮助你，篮球队的小伙子们已经来了。他们明天晚上有场很重要的比赛。"

"我没让你帮我，我可以自己洗。我可以把衣服脱掉，而且如果我准备好东西……"

"听着，西奥，我不想让你一个人做这件事。这对你来说太难了。况且，你有可能会摔倒，那样会受伤的。"

突然，我的眼泪又在眼眶里打转。我只是想洗个澡而已，这也要我乞求，要我谈判……我受够了。我什么也没说就走了。

"西奥，等等！"

我装作没听到。我听到他在保证什么东西。我一直朝着停车场和大海的方向走,一个人都没碰到。

我毫无意识地又走到了同样的地方,还是在怪柳旁边。真的是这样!我受够了请求别人或者因为怕打扰别人而不敢寻求帮助。我白做了那些事,我必须说"请"才能做成我想做的事,甚至是像洗澡这样一件不值一提的小事!帮我做这件事一点都不难。那些篮球运动员也可以稍微等一会儿啊!帕特里斯总是想让我自己做事情,刚刚他又说我不能自己洗澡,甚至都没给我一个尝试的机会……他本还是能尝试一下的……

我知道这些对我来讲是太不公平了。

我一直在思考,没发现帕特里斯已经来了。

"抱歉,西奥。我刚刚的态度有点不好。"

"没关系。"

"你真的是这么想的吗?"

"那些篮球运动员呢?"

"哦,我离开10分钟,他们自己也能训练。你知道,我不是不想帮你……"

"是的,我知道……你并不是只要帮我一个人训练就行了!"

"不，不是这样的。我不知道该怎么跟你说，我逼着你做了那么多的努力……但是我承认刚开始我对你的要求很严格。实际上，我和心理医生已经达成了一致，我们想试验一下你。你拒绝依赖别人，我们想看看你是不是真的能够努力去取得你的自由。我得承认你成功地通过了我们的测验。不管怎样，你得接受一个事实，那就是你不能像一个身体健康的人那样，什么事都能自己一个人做到。"

"这不公平！"

"没错，这确实不公平。"

帕特里斯把手放在我的肩膀上。他不该这么做：就像拧开了水龙头一样，我像个小孩子一样放声大哭。帕特里斯让我哭了一会儿，接着说：

"有很多事情你可以不用别人帮助自己就能做到，也有其他你自己做不到的事情。这并不是说要放弃所有的事情，这只是一个开始而已。但是你不能每次一碰到钉子就失去勇气。我们每个人都有能力的极限。"

"是的，但是我能力的极限把我限制得太厉害了。"

"但是对于能力的极限来说，我们能做的事情确实太少了……"

我忍不住笑了：

"总而言之，我明白了。"

"西奥，我也是，我明白了。以后我也不会在你面前说那些比你残疾得更厉害的人了。当然，这也安慰不了你。但是一个人不仅仅是身体上有自己的极限，能力、心理和智力上也有，而且你的极限并不像你想得那么容易就达到。"

我用袖子擦擦眼泪，看着他。

"小家伙，给，这个更方便一点……"

他递过来一条手帕。

"走吧，我们回去。你想看看那些篮球运动员吗？你要是想学，我也可以指导一下你……"

那些男孩儿在训练，我在旁边看着。他们像陀螺一样旋转，坐在轮椅上加速跑，奋力冲刺……突然，球弹到了我的膝盖上，我还没反应过来，球队的队长安托万就跑到了我面前。我把球递给他，他微笑地说道："谢谢你，西奥。"

"安托万怎么知道我的名字呢？"

"嗯，他知道你的名字就像你知道他的名字一样！你也已经是我们体育馆的顶梁柱了！哎，小明星，到更衣室旁边的桌子那儿帮我把水壶拿来吧。我们得休息一会儿，这些小伙子们在这样的高温下训练也该渴了。"

训练结束后，我帮帕特里斯收拾那些丢在各处的东西，安托万过来跟他讨论第二天比赛的事。

"哎，西奥，你会来看我们比赛吗？这场比赛肯定会很激烈！我们迎战来自巴黎的球员。他们可不是些软弱的人，我们得努力才行！"

"嗯，我很想来，但是我不知道我能不能来……我平时得早点睡，因为要上课。"

"别担心，我去跟你的老师讲。但是别到处宣扬这件事，行吧！"

帕特里斯给我开了一张逃课通行证。

"喏！别忘了写作业，要不然我可是会挨骂的。"

"好的，谢谢帕特里斯！"

"好吧，明天见，西奥！"

"明天见，安托万。"

"谢谢你帮我！"

"没什么,帕特里斯!"

我爬到床上去,在弗朗索瓦兹来给我洗澡之前,我有足够的时间准备我的东西。

"啊,你在这儿,我还在想你又去哪儿了呢!"

听到这句话,我感觉自己就像是从家里逃跑过很多次的孩子……

"听着,我来晚了,因为你总是有理由在任何时候回家。我先帮塞巴斯蒂安洗完,然后就过来……"

"好的,别担心。"

这样对我来说比较合适,我正好利用这段时间脱衣服。

弗朗索瓦兹回来的时候,看到我光着身子坐在轮椅里,我的小弟弟上盖着一条毛巾。我注意到她在开始帮我洗澡之前愣了一会儿:

"不错,你脱衣服越来越快了!我帮你坐到浴室里,你自己用肥皂洗洗,我去把杰西卡从浴室里弄出来。别忘了洗发水!"

"不会忘的,真跟我妈一样!"

我听到她出去的时候笑了。

这是她第一次让我自己一个人洗澡，她理解我。至于那条和我一起在淋浴下冲了一会儿的湿毛巾，谁管它呢！

吃晚饭的时候，我心不在焉地听着别人在聊天。

"西奥，你怎么不去上课呢？"

"我去体育馆了。"

"我们早该猜到事情是这样的！你马上就会在那儿安家了……"

"哦，好了，杰约姆，你开始胡说了……"

"啊啊，我们的西奥今天心情不好啊！"

"呃，小伙子们，你们是要发火了吗……看那个老头，在那儿。他是第一次来吧，他忘了松开他保时捷的刹车！要是没人告诉他，可能明天早上吃早饭的时候我们还能看到他待在原地！"

卡里姆比他看起来要聪明点，他就这样平息了我们的情绪。不管怎样，我还是感觉到被排斥了，即使我装着听他们继续谈话的样子，实际上我并没有真正参与进去。不管怎样，我该跟他们讲什么呢？早上的课吗？他们也上了课，我们都在那儿。我和安托万的见面？我不能说第二天我要去看比赛的事。最后我彻底脱离了他们的谈话，回想起我所度过的一天时光。

我因为今天自己曾经发脾气而感觉有点愧疚，帕特里斯人很好，我不应该那么做。另一方面，我很喜欢他跟我说话的方式。至少，他理解我了！而且，要是没有洗澡这回事，我有可能没机会参加篮球训练，也不可能和安托万说话了。安托万真让我印象深刻！我知道他做很多练习，每天早上在训练之前他都会跑10公里。当我把球扔给他的时候感觉真棒。他跟我说"谢谢"了，还叫了我的名字。我也很喜欢和帕特里斯一起整理篮球场大厅，他好像忘了我的残疾，还为我能帮他感到高兴，他也谢了我。这些改变了我，通常都是我要说"谢谢"的。

"呃，西奥！睡觉去，你已经开始做梦了！"卡里姆朝我说道。

"不是不是，我在思考。"

"现在在思考了？我以为运动员都是四肢发达头

脑简单的……好吧,我开玩笑呢,你别生气。你和我们一起去看电视吗?"

"抱歉,哥们儿,我还有作业……"

"体育锻炼让你逃课,还让你把我们抛弃给了可怕的女巫卡哈布斯……"

(我们是这么叫女督学的,因为她的名字叫卡哈布斯,而且还很凶……)

"要是睡觉以前我做完作业了,就来找你们……"

"嗯,要是你真能在睡觉以前写完,我会很惊讶的,我们有那么多的作业!去吧,一会儿见,你这个无情无义的家伙……"

"再见,朋友们,明天见!"

卡里姆是对的,那些作业……三道数学练习题,动词变位还有一章历史摘要要预习。老师们真是疯了!我们一整天本来就已经安排得够满了!

当服务的老师马努来关灯的时候,我还没写完作业。我得把闹钟调得早一点,因为他不准我晚点睡。

我躺在床上,但是心情很激动,睡不着。我又想到了弗朗索瓦兹看到我已经脱得光光的小弟弟上盖着毛巾时的表情，我在床上偷笑。看，这个关于洗澡的小事让我省了多少"谢谢"？我开始数了：

一个为了脱衣服而说的"谢谢"；

一个为了身上抹香皂泡泡的"谢谢"；

一个为了穿上我已经准备好的衣服的"谢谢"；

一个为了帮我穿衣服的"谢谢"；

一共四个！我为自己省了四个"谢谢"！而且，别人也跟我说了谢谢：

一个是安托万说的，为了我递给他的球；

一个是帕特里斯说的，为了我帮他拿的水壶；还有一个是为了我帮他收拾东西而说的；

一共三个！我自己赚了三个"谢谢"。我又数了数今天早上说的"谢谢"：一个"谢谢"是为了掉在地上的香皂；一个是为了倒在我碗里的牛奶；还有一个是因为别人帮我把卡在电梯门上的轮椅前轮弄出来了。中午的时候又说了两三个"谢谢"，一共是五六个。这已经很不错了。如果我减去在体育馆里赚来的三个"谢谢"的话，我一共只说了两三个"谢谢"。太棒了！维克多肯定比我说的多！

所以，如果我注意点，不随便说"谢谢"，而且再赚几个的话，我就能比维克多说的少了。

这真是一个新发现！我更激动了，过了很久才睡着。

第二天起床真是太困难了！我没听到把我从睡梦里唤醒的广播。当我醒过来的时候已经很晚了，我不能既自己准备上学的东西又写作业了，我得选一个。算了，我还是决定把作业写完。要是老师发现我没写完作业，我和帕特里斯都会有麻烦。我可能从此就得跟晚上的自由活动说再见了。我不想冒这个险……这样做的代价就是我要说一堆的"谢谢"。算了！也许我白天一天就可以赚回来。

艾弗琳娜帮我穿好衣服，我全速飞奔到餐厅。又和朋友们见面了。他们正在讨论即将到来的篮球赛。到处都贴着海报！球赛成了所有聊天的共同话题。我得忍住，不能到处炫耀。

"嘿，早上好，西奥！呃，你看到你的脸色了吗？晚上得睡觉啊！这就是做作业晚了会发生的事！西奥把中心当成了体育学校！"

"哦，闭嘴，杰约姆！"

没错，不是吗！他故意叫得这么大声就是想让老师听到！根本就不用费劲把大家都召集过来。而且，帕特里斯远没马努好相处。要是他知道我逃课就是为了去看篮球队训练，可能会有麻烦的。

"哦，瞧！他心情不好。好吧，我们走！小伙伴们我们走吧？"

"再见，西奥！一会儿见！"

"再见，卡里姆！"

又只剩下我一个人，傻瓜一样地坐在桌子旁边。因为不想弄脏其他桌子，帕特里斯带了三个小朋友坐到这张桌子上：塞巴斯蒂安、纪尧姆和玛丽恩。他把他们留在这里就走了，因为另一个小孩子赛琳娜刚刚把一碗巧克力弄洒了，流得到处都是。三个孩子，实际上只是两个小男孩儿乖乖地在等别人帮他们倒牛奶、给面包上抹黄油，因为玛丽恩她只能吃流质的食物。他们只有六七岁，但是已经养成了耐心等待的习惯。他们看起来有点笨笨的。我抓起一瓶果汁：

"你们想要橙汁吗？"

"嗯。"

"塞巴斯蒂安，你的面包上想抹什么东西？"

"黄油和李子酱。"

"等一会儿，桌子上没有……别动，我去旁边的桌子上看看。找到啦。"

"谢谢你，西奥。"

"你呢，纪尧姆？"

"嗯，蜂蜜。"

"我去拿蜂蜜！"

"呃，西奥，你没看到几点了吗？米歇尔会找你麻烦的！快点去上课！谢谢你帮我照顾这些小孩儿。"

"别客气，帕特里斯！我去了。"

在扮演奶妈角色的时候（指刚刚帮小朋友倒果汁，拿面包的事情），我没发现时间过得这么快。在我推着轮椅往学校赶的时候，才发现我刚刚在不知不觉中赚了两个"谢谢"。这并不是那么难，也不会让人不舒服：小家伙们很可爱，他们不会像那个傻子杰约姆似的总让我失去耐心。

米歇尔正要关门的时候我到了教室。如果我迟到了，她不会大惊小怪的这也不会让我在这一天特别引人注目。

这一天过得很顺利。我又收获了两个"谢谢"：一个在教室里，另一个在保健课上。

上课的时候，奥利维耶想要捡起地上的铅笔却从轮椅里摔了下来，他眉毛那里被撞破了,血流得到处都是！米歇尔按了铃,想叫来一个护工,却没一个人过来,我主动提出来去别的教室找人。我叫来了服务员索朗热,她正在帮一个低年级的小男孩儿上厕所。

另一个"谢谢",我是在保健课上收到的。我去得比较早,在那里等着。当克里斯看到我的时候,他让我帮塞巴斯蒂安。对塞巴斯蒂安来说坐着手动的轮椅要爬上那个小坡确实有点困难,而且大人也不想让小孩子独自在走廊里晃悠。

塞巴斯蒂安谢了我,他很高兴我能帮他。

保健课之后,我回到楼上写作业了:我得承认我做作业有点敷衍……实际上,我在那里一直都坐不住。因为比赛的原因我没有体育锻炼，但是因为我一直在想着晚上的事，我一写完作业，就匆忙跑到体育馆去了。我听见弗朗索瓦兹在走廊里喊："西奥，你又要去哪儿？"我只装作没听到。因为我不想解释，也不想谈判。

啊啊啊哦！体育馆！我们球队的颜色装饰了整个体育馆。保健员刚刚和帕特里斯一道把球挂在大玻璃窗上。帕特里斯看到我来了。

"西奥，你好！你在那儿干什么呢？没作业吗？"

"我已经写完了。"

"真的？"

"真的，真的……"

即使帕特里斯不相信我的话，却仍然装作相信我的样子。

"帕特里斯，你说这是为了今晚而做的装饰吗？我可以来吗？"

"可以。只是你要保密，不能让别人知道了嫉妒你。不然的话那些老师会诅咒我们俩的。"

"没问题，我会注意的。"

"好的,既然你在这里,就可以帮帮我。"

"我能做什么呢?"

"在仓库里,有两箱矿泉水,你把它们放到冰箱里去。回来的时候你拿点毛巾回来,能拿多少就拿多少。"

"好的,出发!"

我花了很大力气去拿水,特别是撕开包装塑料。最后我把水卡在我的轮椅和墙中间,才总算把包装给撕掉。我在冰箱和水之间来回了好几次,因为我一次只能拿三瓶水。总之,我花了很长时间才把水弄好……

接着我开了三四个柜子才找到毛巾,问题是毛巾放在很高的一格上。我只能用手指碰到它们。该死!最后我用右胳膊撑起整个身体,尽力地举起左胳膊。失败,又失败,我真是要哭了。虽然很生气,我还是抓到了一堆毛巾里最下面的一条。结果是毛巾全部掉了下来,砸到我的脸上,散落在我周围的地上!我骂了一长串的脏话,要是妈妈在,肯定会批评我的。我得快点把它们捡起来叠好。帕特里斯肯定在想我在干什么。我是不会跟他说这事的!我弯下腰,快贴到地面上了,把它们一条条都捡起来,尽量不让阿尔贝有点脏的轮子压到它们,这真是一个需要精确到毫米的活儿呀。

一阵脚步声吓了我一跳,我把毛巾又全都扔在了地上……我马马虎虎地把毛巾叠好。毛巾不是特别干净,但也过得去。

"帕特里斯,毛巾拿来了,放到哪儿呢?"

"你把它们放到球场边界的长椅上就行了。你拿毛巾的时候碰到了困难吧?这是我的错,我把它们放得太高了。"

(他看到我把毛巾重新叠了一下,肯定猜出来我把毛巾弄掉了……)

"毛巾还不够,我们再找点,我来帮你。"

我们又向柜子那儿走去。

"毛巾真的放得很高。你是怎么拿到的?"

"嗯,我右手撑着整个身体,左手拿的毛巾。"

"你的左手可以举起来了?太好了!"

"是的,但是毛巾都掉到地上了。"

"没关系。它们又不是水晶做的!走吧,冠军!我还得准备桌子和记分员呢。"

我又带着一堆毛巾走了,脸上挂着微笑。

安托万也在那里，他正在和一个保健员说话。

"看！那是我们教练的助手！你好啊，西奥！"

"安托万，你好！"

"你觉得体育馆装饰得怎么样？很漂亮吧，不是吗？"

"太棒了！我希望所有人都来给你们加油！"

"别担心，要是我们通知的朋友们都来的话，气氛肯定很热烈！而且你和帕特里斯在球场边上的长椅那儿，我们肯定没问题……"

这有点傻，但是我感觉很骄傲。

渐渐地，其他的队员也都来了，我帮着他们整理东西。离比赛开始还有十五分钟的时候，安托万和帕特里斯把所有的队员召集起来开会，我在他们旁边待着。我听到了教练最后的建议和指导。小伙子们不再嬉皮笑脸的，他们变得全神贯注了。

这是一场激烈的比赛，真是太激烈了！巴黎来的队员特别强悍，中场休息的时候他们领先了10分。帕特里斯给队员们讲解如何改变战术来克制对手的时候，我来回地拿水和毛巾给他们。突然，我抬起头，猜猜我在观众里看到谁了？杰约姆、卡里姆和四年级的大孩子克里斯多夫。他们偷偷跑出来看比赛了。我开始发愁了：几乎所有的保健员都在这儿，肯定至少有一个发现了他们！而且，他们肯定也看到我了，保密工作失败了。正如我看到了杰约姆一样，他肯定也发现了我。中心所有的人都会知道我受到了特殊待遇，能来参加比赛！哦，算了！比赛重新开始了，我也不再想这件事了。

最后，我们以两分的微弱优势取得了胜利，虽然只有两分，但是结果才是最重要的！队员们都很高兴。他们把帕特里斯挤在他们轮椅的中间，帕特里斯不得不站到长椅上：

"帕特里斯！嘿，嘿，嘿，好啊！"

接着安托万转过来：

"哎，别忘了我们的吉祥物！西奥！嘿，嘿，好啊！"

真是太棒了！虽然我没有和球队一起打过篮球，但我感觉自己变成了队里的一员。而且帕特里斯也没有和他们打过球，因为他是正常人。

当球场上挤满了家长和护工时，我得回去了，不能错过了时间……

"走吧,小家伙,睡觉去。不然明天你就起不来了……"

"好的,我走了……等等,我想跟安托万说声再见。"

"好吧,快点!"

实际上,我都没能够接近队长。他身边全挤满了轮椅!而且,他又和朋友们开始了比赛。我感觉有点难过,也很累。帕特里斯说得对,我最好还是回到房间里去。

他陪着我回去了。走廊里很安静,我想起来杰约姆和卡里姆了。可能我刚刚是在做梦……

帕特里斯帮我把衣服脱了,因为我真的太累了。他把我放到了床上,像爸爸一样抚摸着我的头发。只是爸爸还会拥抱我。

"晚安,我们的吉祥物。星期一再见了。祝你周末愉快!"

"晚安!"

我像小婴儿一样睡得很沉。

第二天吃早饭的时候,事情变得很糟糕,我没有做梦。卡里姆和杰约姆看到了我,而且他们被抓住了。结果是他们被罚两个星期不能看电视,晚饭之后立刻得上床睡觉……他们恨死我了。他们一到大厅里就开始对我进行轰炸:

"我们没坐在帕特里斯的宝贝旁边!现在,西奥和那些篮球明星走得很近啊,我们都配不上他了呢。"

"是啊,有人享有特殊待遇,我们还在想是怎么回事呢!"

"他得说说那些人都说了些什么,做了些什么,要当心点啊,隔墙有耳。"

餐厅里所有的人都明白了他们是在说我。我感到无地自容,狼吞虎咽地吃完了面包就走了。

离上课还有些时间,我到别的地方又走了走。我回到了体育馆的时候,清洁工阿姨正在打扫卫生。

"西奥,你好啊!你在那儿干什么呢?"其中一个阿姨问我。

"哦,我随便走走,现在去学校还早呢。"

"哎,我有东西给你!等一下,我去找找。"

她回来了,你猜她手里拿着什么?安托万的球衣!

上面写着一行小字:送给我们的吉祥物西奥,谢谢你的帮助!

我立刻重新振作起来!昨天晚上他没忘记我,而且他还跟我说"谢谢"!看看,一晚上的时间,我一共赚了几个"谢谢"了。我没数,但是肯定是一笔不小的数目。

学校里的气氛很奇怪。我的两个朋友正在忙着讲昨天晚上的事,当然是他们的版本。其他人都用一种很奇怪的表情看着我,但是在 10 点半休息的时候,有些人还是过来跟我讨论起了昨天的比赛,还有那些平常从来不跟我说话的男孩子们也过来了。

6

这个周末我没回家，因为爸爸去很远的地方出差了。爸爸不在的时候，妈妈一个人没法把我抱起来，因为我太重了。而且我为了自己能够应付一切而付出的努力在家里面完全没用，家里的设置并不适合残疾人：门太窄了，浴室和厕所太小了，我根本没法操纵阿尔贝。妈妈给我打了电话，告诉我她和维克多星期天的时候会过来。

周末的时候，中心的工作速度慢了下来。除了一两个为了应付紧急情况还在值班的保健员，其他的都放假了。至于孩子们，大部分都回了自己家或者去了那些接待自己的家庭里。在餐厅里，我和两个老人在一张桌子上吃饭，其中一位是老太太，她很想"帮助我"，根本没法阻止她帮我拿面包或者给我倒水。那些"谢谢"自然也是免不了的，尽管我有自己解决的"好"办法，但是我可不想表现得像个没有教养的野人，尤其是在陌生人面前！

我以最快的速度逃到了体育馆，想做几个锻炼腹肌的练习，但我的心早就飞到九霄云外去了。我回到房间里写完作业，补完了落后的功课。我和几个同学的关系已经不好了，我可不想再把老师给变成敌人……

过了一会儿，我觉得很累。也许是因为晚上睡得太晚了，我打了个盹儿。醒的时候，很不幸，才4点钟。当人们觉得无聊的时候，一天就显得实在是太长了。我又想起来餐厅里那位老奶奶了。我什么都没请她做，她就让我不得不说完了我所有的"谢谢"。突然，我数得头都晕了。我还得把这些记下来！

在东西里乱翻了一会儿，才找到一个小笔记本。我在第一页上写上："谢谢账本"。第二页上，写上时间："5月10号星期六"，还有两竖行："支出"和"收入"。然后我又重新算了算今天说的"谢谢",该死的,已经七个了! 我已经记不起来昨天晚上赚了几个谢谢。四个或者五个吧……我得在今天白天再赚一点,不然,我就完全没有盈余了。

这些算数让我重新打起了精神。为了开始我的"谢谢收获之旅",我也许可以帮那些照看小孩子的人——这些小孩子周末的时候还留在这里。实际上,我只见到了在电视机前的几个"精神病人"……幸好,一个老师杰里米看到我在闲逛。

"嘿,西奥,你很无聊是吗? 如果你愿意的话,你可以去体育馆。克里斯代尔和孩子们在那儿呢,他们在做游戏。"

"好的,我去那儿转转。"

我碰到了克里斯代尔和五个孩子,其中就有塞巴斯蒂安和纪尧姆。我知道纪尧姆家离这里很远,他不能回到爸妈的身边。因为他来这里还没有多久,所以还没有周末接待他的家庭。

"塞巴斯蒂安,你怎么在这儿? "

"西奥！"

至少他见到我还是很高兴的！

"爸爸妈妈去外公外婆家了，那里离这儿很远。因为我要上课他们就没带我去……哎，你给我们讲讲比赛的事吧？"

呃，好吧，消息传得可真够快的……连这些小孩子都知道了！

"安托万，他是什么样的人啊？看起来，你是他的朋友……"

我被一堆的问题淹没了。我跟他们讲了所有的事情：准备工作、帕特里斯的解释、安托万是怎么给全队打气的、最后几分钟的悬念，特别是比赛结束后，帕特里斯站到长椅上、安托万管我叫"篮球队吉祥物"的那一段故事，小孩子们都觉得很震惊，至于我，我感觉很骄傲，又补充了一些其他的事情。孩子们太兴奋了，不愿意继续做被我打断的游戏，我们就趁这个时间吃了点心。

我帮克里斯代尔准备面包和巧克力，又把果汁倒在杯子里。就这样，我得到了一个"谢谢"。然后我们坐着轮椅比赛跑步。因为我对体育馆了如指掌，所以我去找来了一些木头，然后和克里斯代尔一起用这些木头做成障碍物，这样我又得到了一个"谢谢"。我先是在一个队里，然后又去了另外一个队，我们玩得很开心。

晚上的时候，我和塞巴斯蒂安还有他的小伙伴们一起吃晚饭，我又得到了两个"谢谢"。结束的时候，我被允许和大人们一起看电影，是一部老电影《德·菲奈斯》，很搞笑的。

妈妈和维克多快到中午的时候来了，他们可以在这里吃午饭。通常，如果有人来探访的话，就可以要求单独坐一张桌子，但是小孩子们看到我们了：

"呃，西奥，我们可以和你一起吃饭吗？"

"不行，孩子们，西奥要和他家人在一起吃饭。"杰里米答道。

"没事，没事，来吧，孩子们，只要你们乐意……"

我这点继承了妈妈！总是要对别人好点才行。我很喜欢这些小孩子，但是他们不能总黏着我。纪尧姆和塞巴斯蒂安开始讲我星期五的壮举。根本没法让他们停下来！维克多让我保证给他看安托万的球衣，然后他又开始和那两个比他小不了多少的孩子聊天了。妈妈在我耳朵旁边悄悄地说："别忘了学习，嗯！这才是最重要的！"但是她也没有坚持下去，因为她看得出我很开心。

吃完饭后，我们去散步。维克多想和他的新朋友待在一起，杰里米拉他去打球了。我有些失望，因为他更愿意和别人一起玩，而不愿意和我一起去散步。我知道星期天的下午在公园散步并不是特别好玩，特别是这个公园里只有一些残疾人和陪着他们的高兴或不高兴的家人。当维克多来这里的时候，他只能四处走走，而不是和他小区里的哥们儿一起骑自行车或者滑旱冰。总之，他在这里交了朋友，这很好。

只剩下我和妈妈两个人了，这显得很奇怪——每个周末必不可少的谈话。如果我在家里的话，我可以在房间里做点什么事，我可以看电视或者去哪里参观一下。总而言之，很正常地生活。但是在这里，我们两个人面对面，为了利用这有限的时间，我们必须聊点什么才行。妈妈来看我,我很高兴,但是同时我又觉得有点尴尬。如果我什么也不说的话,我会后悔自己浪费了这宝贵的时间。所以我跟她讲这一星期里发生的事情,但是我觉得这没什么意思。我猜她和我有同样的感觉。

实际上,这里有点像监狱。有一天,我在电视上看到了一个新闻报道。那些囚犯接受家人的探视,他们坐在小房间里,面对着爸爸或妈妈,看起来不知道要说什么。但是,他们每天都在等着有人来看他们。这跟我们的情形是一样的,当然,在公园里散步比周围站着看守说话舒服得多! 我们回到中心,到体院馆找到维克多,他正在和其他人一起吃点心。他跟我讲起刚刚干的事情。

"我们打篮球了! 我更喜欢踢足球,但是纪尧姆和塞巴斯蒂安不能踢足球,因为他们和你一样都坐在轮椅里。没关系,篮球也很不错。虽然杰里米把篮筐调低了,但是要想投中还是很困难。我和卡洛琳娜、塞巴斯蒂安一队,我们的对手是米娅姆、埃万和纪尧姆。我们赢了,因为纪尧姆有点不开心,我们又打了一场,这次他们把我们打败了。"

真是没法让他停下来！至少，他们玩得很开心。

"哎，西奥，你能教我打乒乓球吗？"

"不行，维克多。我觉得今天西奥不能用乒乓球桌。"

"夫人，让他们打吧，没人用这个球桌，而且我会待在这里，不会有问题的。西奥，你知道球拍和球在哪里吗？"

"嗯嗯，我知道，谢谢杰里米。"

这天，我给弟弟维克多上了第一堂乒乓球课。幸亏妈妈在那里捡球，球被我们打得到处都是，特别是那些小孩子又加入到我们中来，最后甚至连妈妈都拿起了球拍。真是太棒了！

快6点的时候，我们回到我的房间里。我给维克多看安托万的球衣，然后他们就走了。我突然觉得很孤独，我想那些朋友们了。我真希望卡里姆突然出现，扮小丑模仿他的保健员或者是女巫卡哈布斯。我知道他回来了，但是他没过来看我。

我开始看书，但是精神没法集中，因为我听到走廊里面有说笑声。过了一会儿，我坐不住了：我假装要去某一个地方的样子，从卡里姆的房门前经过。他们一看到我，谈话立刻停下来了。然后杰约姆很大声地说：

"看，那不是体育馆的红人嘛。他又要去拍马屁了。"

我坐电梯到楼上，又回到了自己的房间里，我特意绕过了卡里姆的房间。我很想哭，为什么我不能回到自己家呢？

幸好，没过一会儿，弗朗索瓦兹就到我的房间里来了。她发现我哭过，在我旁边坐了一会儿，我们聊了一下。我向她承认我和朋友们吵架了，她安慰我说他们都是傻瓜，并且向我保证这件事情肯定会和解的。我不太相信她，我一直在想这是我的错，聊了一会儿我感觉好点了。我开始准备洗澡了。当她又回来的时候，我就去洗澡了，我洗了很长时间。后来我感觉好多了。

吃晚饭的时候，我还是和那些小孩子在一起，还有新来的皮埃尔。他和我一样大，因为一场交通事故，他的双腿都瘫痪了。他是直接从巴黎的一家医院到这里来的，他看起来很友好。太好了，他和我一个班，而且他的房间正好在我房间的下面。

接下来的一个星期,我都没闲着。在学校、两次保健课和乒乓球训练中,我忙得暗无天日,几乎没有时间和皮埃尔说话,他的情绪很低落。他刚坐上轮椅没多久,还不习惯。至于我就不一样了,我从很早以前就这样了。他还没有学会自己一个人应付一些事情,所以他要花时间等待,一直不停地说"谢谢"。我想过要跟他说我的小记事本的事情,但是这太早了,因为他还不能帮助别人:他和他的轮椅还缺乏练习。而且,他还没准备好要和阿尔贝赛跑呢!

说到阿尔贝,它要罢工了……应该说是我让它的生命结束的。我一直不停地在学校、保健室、体育馆和我的房间之间跑来跑去。更何况随着比赛的临近,帕特里斯加大了训练的强度。晚上,我累极了,还有作业要做。这次,我真的很想赢得所有的比赛,因为爸爸会来看比赛。

星期六早上不用上课,我可以多睡一会儿,稍微训练一下。比赛在下午 2 点的时候开始,妈妈保证她和爸爸会在比赛开始前过来和我问好。1 点钟的时候,没有一个人来。1 点半,我下楼到体育馆去。妈妈在 1 点

45分的时候过来了,她和维克多一起来的,但是没有爸爸的踪影……她看起来很尴尬。她跟我解释说爸爸不得不去一个工地上,他可能今晚会过来和我们一起。

"但是他向我保证过会来的!"

"我知道,宝贝儿,但这不是他的错……"

"他只要把那些人赶走就行了,他跟我说过他会请一天假的!"

"他肯定请了假了,只是他的老板在最后时刻又需要他了。"

"那我呢,我一点儿都不重要……"

"别生气,西奥!你太激动的话,比赛会发挥不好的。我们在这里,我们希望看到你赢得比赛。"

"我无所谓,我不会参加比赛的。"

说着这话,我走了。路上碰到了帕特里斯,但是我没停下来,直接朝怪柳旁边属于我的角落走去。爸爸用他那些甜言蜜语把我好好嘲笑了一番,他甚至都不能遵守自己的承诺。他说过他为我感到骄傲,说得倒好!

"哎,西奥,你要迟到了……比赛五分钟以后就要开始了!"

我赶紧擦了擦眼泪，谁能找我找到这里呢？安托万！应该是帕特里斯告诉他我在哪儿的。

"这个我一点都不在乎，我不想参加比赛了。"

"等等，你是在开玩笑吧！你训练了几个月，不能临阵退缩啊！"

"我不是泄气。我只是不想比赛了，就是这样。"

"啊，是啊，你不想比赛了……如果上个星期球队所有的队员到比赛现场说：'我们不想比赛了，大家再见了！'你听到了会怎么想？"

"我知道，但是这不一样，你们代表的是整个中心，这很重要……"

"那是因为今天的比赛不重要？帕特里斯为了组织这场比赛，东奔西跑，忙得团团转，你去跟他说你觉得这个比赛不重要！告诉那些来给你加油的球队成员你觉得这个比赛不重要！"

我看着他，好像他是从火星来的一样。

"你是想说你是特意来这里看我的吗？"

"嗯，很明显，你以为我是来这儿旅游的吗？我很熟悉中心的环境，我在那里上保健课……"

这明显让我安定了下来。哎呀，我还是不能开溜。至少他们对我还是很好的。我们一起回到了体育馆。我有足够的时间别上号码布，接下来就轮到我了。

　　第一场比赛真是像一场灾难，我完全无法集中精神。我输了第一场比赛，但是因为我赢了另外三场，所以取得了晚上决赛的资格。球队的队员们都过来看我了，真是太棒了。

　　我把他们介绍给了妈妈，特别是维克多。维克多很紧张，我听到他在向纪尧姆和塞巴斯蒂安炫耀这件事呢！帕特里斯因为我的开溜瞪了我一眼，但他还是为我取得的成绩感到高兴。

　　篮球队的队员们不能待在这里了。幸好，安托万还会在比赛现场，妈妈和维克多肯定也在。当然，我没看到杰约姆，也没看到卡里姆，连皮埃尔也没来。但是，我知道他在中心里，因为他的爸妈住得很远。我想，对于他来说，留在这里应该不是件开心的事，因为这是他在这里过的第一个周末。

　　吃过晚饭，我到楼上去换衣服，特意从皮埃尔的房间经过。他在房间里，假装沉浸在一本漫画书里，但是我很清楚地看到他哭过的痕迹。

"皮埃尔，你好！我在餐厅里没看到你……"

"我不饿！"

"你知道吗，今天晚上我要参加决赛。"

"很好啊。"

他这么说着，就好像我们两个在聊天气之类不咸不淡的话题。

"是的，我很高兴。而且，那些篮球队的小伙子们也来看比赛了。但是他们必须得走，所以我就少了几个能给我加油的、支持我的人了。我以为你可能会去……"

"呃，我很累。"

"哦，去吧……你看，很不错的，比赛现场全是人，我妈妈和弟弟也在那儿……"

"听着，我没那么大的兴趣去看人。"

听到这儿，我很清楚我没能说动他。

"我知道你心情不好。当我心情不好的时候，我也不想见任何人，但是自己一个人待着真的是无济于事。"

"我没有心情不好，我只是累了。"

我感觉他开始有点不耐烦了。

"好吧，做你想做的事情。比赛在十五分钟后开始。"

"知道了，知道了，以后再说吧。"

我走了，有点失望。我知道他很难过，尽管如此，他刚到这里我就帮了他，这次我求他点事情，他应该要尽力帮我的呀……

一到体育馆，我就忘记了皮埃尔·帕特里斯一边等我，一边在那儿发牢骚，他怕我又像下午那样溜了，他给我看了比赛安排表。真是太不好了……我有那么多身体健康的对手！而且，也不能犯错：输掉一场比赛就直接被淘汰。在去和维克多还有他的朋友坐到一起之前，妈妈过来祝我好运。

第一场比赛开始打得不好。我太紧张了，犯了很多错误。我总是把球打歪。比分是 16 比 9，这不是好兆头，我有点慌。我看向帕特里斯，他向我做了个深呼吸的手势，好像在说："冷静下来！"安托万还是微笑着看着我，好像一切都很好一样。我听到那些支持我的人在喊："加油，西奥。"妈妈在努力让他们喊的声音小一点儿。我不能因为在比赛开始时就被淘汰而让他们失望！我得在小孩子面前保持自己的良好形象……

我慢慢地扳回了比分，险胜了这一局：23 比 21。

第二场比赛也是同样的情况。我开始打得不好，但是，这次我没让自己落后。我看了一眼帕特里斯，精神振奋。最后我以 21 比 16 赢了这局。我松了一口气，把球拍放下的时候，我看到有人进到了体育馆里，是皮埃尔。他终于下定决心来了。他有些晕头转向，而且不知道怎么让他的轮椅在人群中往前走。我穿过人群，一直走到他面前。我把他带到妈妈、维克多和那群小家伙面前，给他们做了介绍之后就赶紧走了，因为我看出来帕特里斯开始不耐烦了。要是我继续每五分钟就溜走一次，他肯定会在晚上结束前骂我一顿的。

接下来的比赛打得很艰难。我的得分一直落后，虽然差距不大，但是每次我把比分追平的时候，对手又重新超过我。我一直坚持着，绝对不能让皮埃尔看到我比赛一开始就输了。

我最后以 25 比 23 赢了，那些家伙们像疯了一样高兴。皮埃尔看到他们在轮椅里扮小丑也开心得笑了。妈妈看起来也很高兴，我朝她微笑，突然我想起了爸爸。

我的怒气又回来了。他跟我保证了，却又食言了，真是个骗子。我还不想原谅他，我也不会再相信他了，他可没有发言权。我看向帕特里斯和安托万的方向：至少他们还在那里，他们很关心我。

然而，尽管有他们的鼓励，我在接下来的比赛中还是没能顶住对手的冲击。跟我比赛的那个女孩真的很强。我努力争取，但是无济于事，她总是保持五分的领先优势，比分不可能再超过她了。我觉得有点儿累，我的左胳膊也因为一直不停地操纵阿尔贝而变得很疼。最后我输了，我不敢看向支持我的那些人，他们肯定很失望。安托万该怎么跟球队的其他人说呢？还有指望着我赢的帕特里斯，我该如何面对他呢？

我把球拍放下，朝更衣室走去。

"哎，西奥，你这样是要去哪儿啊？冠军，你不感谢你的支持者吗？"

"我不是冠军，安托万，我输了！"

"你听到他说的话了吗，帕特里斯？他可真是挑剔啊！"

"西奥，太棒了！你一直打到半决赛，我都没想到。

你要知道,你的对手,他们都是健康的人!"

好吧,我没意识到这点。

我还没来得及笑一下,塞巴斯蒂安和他的小伙伴们就扑到了我身上,当然这只是一种夸张的说法而已,他们朝我跑了过来。

"西奥,你打得太棒了!"

"很可惜你没打败那个女孩儿,但是你还是很棒的!"

"维克多,谢谢!这个'还是'真的显得很友好!"

"西奥,我还不知道你这么强呢!"

"谢谢,皮埃尔。来,我给你介绍,帕特里斯,我的教练,还有安托万,我们篮球队的队长。皮埃尔是我的一个朋友,他刚到这里来。"

"皮埃尔,你好,下次和西奥一起来看我们的比赛!"

"好的,谢谢。"

"你什么时候想来体育馆就可以过来。"

"是的,没错,帕特里斯说的对,你会找到一个你喜欢的训练项目的……"

皮埃尔的精神看起来好了一点儿,我知道这场比赛改变了他的想法。

"真可惜,爸爸不在。要是他在,他也会很高兴的,是吧,妈妈?"

维克多真是哪壶不开提哪壶。这就是我们说的"往伤口上撒盐"……我看出妈妈很尴尬,但是我情不自禁地就加了句:

"哦,无论如何,他对这个不感兴趣,但是我也无所谓……我不需要他!"

妈妈看起来很难过,我也有点后悔,但是,得了,这是爸爸的错,不是我的错!

我们都看了决赛,那个打败我的女孩儿和一个大块头对打,大块头用尽全力去打球。最后还是那个女孩儿赢了。

"嗯,西奥,别遗憾了!"帕特里斯说,"现在,冠军得去换衣服了,不然可能会感冒的。"

妈妈想帮我,但是我拒绝了。我看得出来我让她难过了,但是一个打入半决赛的男孩子不能再像一个小婴儿那样让别人帮他换衣服了!

然后,我们边喝可乐边等着颁奖,接着妈妈和维克多就要走了……

妈妈紧紧地拥抱了我，她小声告诉我她为自己的儿子感到很骄傲。我不想让她走，我真的很想让她像在家那样，在我床边替我掖被子，抱抱我。幸好，我不是一个人：皮埃尔还在那里，还得陪着纪尧姆和塞巴斯蒂安回去，他们两个人特别兴奋，差点儿把整个中心都给惊动了。帕特里斯和我们一起上来了。他帮我洗了澡，跟我说了晚安。

　　我太激动了，根本睡不着。我跑进走廊，留心看看有没有人发现我，直接跑到了皮埃尔的房间里。他还没睡，所以我们就聊了一会儿。当我回到房间的时候，已经凌晨1点钟了！幸运的是，第二天是星期天……

　　星期一上课的时候，大家都觉得我是英雄，除了杰约姆、卡里姆和他们那一伙人，他们明显是故意躲着我的。尽管心里很难受，我还是假装没看到他们。但是，我对他们做了什么？特别是卡里姆，我还是觉得他是一个很好的朋友……

7

在学习上，我就没那么骄傲了！米歇尔知道了我乒乓球的成绩，当然也知道了我的学习成绩。我在这方面，真谈不上什么壮举……我得承认这几个星期以来，我太忙了，没有足够的时间来学习。我学会了自己一个人做很多事情。这很好，但是这些事要花我很多时间！再加上我跑来跑去帮别人忙，努力填满我小本子的"谢谢收入栏"，还有在体育馆里密集的训练，我就没剩多少时间写作业了……结果是我的成绩直线下降。这样的话，我在家里也会有麻烦的。我必须得振作起来，绝对不能让爸爸批评我。

所以接下来的几天我更加认真地学习了，七月份的考试是我最后的机会。最后，我考得还不错，尽管米歇尔说我远没发挥出我的水平。不管怎样，她跟所有人都这么说。重要的是我考了第五名，爸妈会让我平静地度过这个假期的。

　　放假前十几天的一个下午，猜猜我看到谁来了？我爸爸！

　　"你好啊，我的大儿子！我去拐角那边见个人，所以我顺便过来看看你……我们最近一段时间不常见面。我的工作快把我烦死了。"

　　"你好！"

　　"你最近还好吧？"

　　"嗯。"

　　"哎，看看我给你带什么来了。"

　　他递给我一个信封。

　　"嗯，打开看看！"

　　里面有一张从商品样册里剪下来的照片，是一张乒乓球球桌，上面还写着一行小字：来自爸爸妈妈的礼物，送给我们未来的冠军。

"你觉得怎么样？它很漂亮，不是吗？"

"是的，是的，谢谢。"

"哦，我以为你会喜欢它的……我已经向你许诺过这件事了。君子一言，驷马难追！"

"是的，但是有时候却不是这样……"

"你在想上个月的那场比赛吗？我知道你感觉很失望，但是你现在已经长大了，可以理解我了！人们并不总是能做自己想做的事情……"

在他们需要的时候我就是个大孩子！而且当他们不遵守自己承诺的时候我得"理解"。至于他们，当我学习成绩下降的时候就不用"理解我"。这也太简单了！

我什么都没说。

"你好像有了一个新朋友？妈妈告诉我他很友好。卡里姆和那群朋友呢？他们现在怎么样了？"

"哦，还不错。"

他不在的时候自然也不知道发生了什么！但我还是不会用那些必要的解释来给他做个简短的报告。

"你知道吗，我们终于在南方的海边找到了一套合适的房间，暑假的时候我们就可以去那儿住了。今年我们的运气太好了，有人取消了预订。我们可以去沙滩上玩，甚至还可以去潜水。我打听了一下，那里也有乒乓球桌。这样你就能向我们展示你的本事啦！"

"这很棒。"

我说话的语气肯定没他期待的那么兴奋，我也为自己不友好的态度感到后悔。但是，这太简单了。他不遵守自己的承诺，然后带个礼物过来，我就得给他个大大的拥抱……

为了打破沉默的局面，他又说：

"你七月份的时候打算做什么呢？维克多报名参加了一个星期的足球训练。然后，从 15 号开始，他可能就会去爷爷奶奶家。爷爷家的房子可能不是很方便，但是他在厨房和花园中间建了一个斜坡。你和维克多一起去爷爷家怎么样？这样，你就只用在这里待两个星期了。"

"我不知道，我得想想再说。"

其实我心里很想大吼："棒极了！"，因为在这里过七月一点儿都不好玩：这里一个人也没有，至少没有我认识的人。一切的节奏都慢了下来，真是无聊得要死。

简而言之，去爷爷家这个想法真是太诱人了。奶奶对我照顾得无微不至，虽然有点过分关心我，但她很和蔼可亲。爷爷看到她这么担心我，有点生气。爷爷尽力以同样的态度对待我和维克多。然而，有时，他带着我们和阿尔贝做一些根本不可能的事。上次，他想要带我们去钓鱼。奶奶大声地说我坐着轮椅根本不能去钓鱼，因为爷爷心脏不好，他也不能抱我抱太长的时间，她又说这很危险，我不可能上到小船上面去。这简直像在对牛弹琴，爷爷已经决定了，而且他很固执。我们到了野外，我坐着阿尔贝经过了一段又窄又崎岖的小路，阿尔贝受了很大的苦。我的轮椅，它可不是四轮驱动车！然后我们到了河边，爷爷就把船停在了那里。维克多跳上了船，但是我该怎么办呢？我们真像即兴表演了一出杂技一样！爷爷已经不年轻了，要抱着我上到来回摇晃的船上，那又是另一回事了。我们试了至少十次，但是都差点掉到水里去了。爷爷让维克多帮他保持平衡，维克多乐得哈哈大笑。

最坏的事情即将发生。爷爷觉得鱼钓得差不多的时候，就把船往河岸边划，维克多跳上河岸，把小船系在一棵树上。直到这时，一切都还很顺利。接着，事情就开始变得糟糕了……爷爷成功地把我安稳地抱起来，但是直到他要上岸的时候才明白他自己一个人是做不到的。他让维克多再回到船上。他一发出信号，维克多就向左边去以保持船的平衡。问题是弟弟和爷爷是面对面的，这样的话，维克多真的朝左边去了，但是是朝向他那边的左边，正好是错误的方向。这样我们三个人都站在船的同一边，扑通！船一下就翻了。幸好，这个地方没太多的水。爷爷抓住我的衣服，河岸上的维克多也向我伸出了一根树枝。我右手紧紧抓住树枝，爷爷也上到了河岸上，把我抱了起来。

维克多笑得直不起腰来。我看看爷爷，又看看自己身上的衣服，也大笑起来。爷爷笑得没那么厉害，因为他想起来回家之后逃不掉的责骂！我是不会告诉你们当奶奶看到我们浑身是泥、衣服上淌着泥浆时候的情景。维克多和我享受到了一个舒服的澡，还有热巧克力喝，我差点儿被奶奶套在我身上的毛衣给捂死。至于爷爷，他被好好地教训了一顿。他没怎么答话，但是他忍不住说我们还是把午饭给拿回来了。这个本来是用不着的。

"你还得意了，你？！你是不是还想让我谢谢你啊？你们有可能被淹死啊！也不看看你多大年纪了！"

在这点上爷爷没有坚持下去，他退让了。他去洗澡换衣服了。

简单说来，和爷爷在一起，有点像在冒险，比在中心闲逛两个星期刺激多了。但是，两个西奥像在我身体里打架，一个很高兴，一个却在生气。我还是继续用简单的词回答爸爸的问话，我们在公园里逛了一圈之后他就走了。我回到了中心，心情很不好。

期末很快就到了，我突然觉得心里空落落的。大部分的小孩子都已经走了。没有了死党纪尧姆的陪伴，塞巴斯蒂安像一个病人一样在游荡，他还得做手术呢。这个可怜的孩子将会有一个可怕的暑假。他很情绪低落，卡里姆、杰约姆和他们那帮人已经走了。

不过，这对我来讲算是个好事情。我受够了听到他们的冷笑。幸好，皮埃尔还在，他的精神也不太好。他已经慢慢地适应了中心的生活和他的轮椅，但是，看到别的孩子回到自己家,这又让他心情更加低落了。我尽力让他看到事情好的一面,让他知道他之所以在这里,是因为他的父母为了能够离他更近一点而搬家,而且正在布置一个适合残疾人居住的房子。这些劝他的话都没用,没法让他从房间里走出来,除非是为了做那些不得不做的事。他甚至不再陪着我去体育馆,尽管这段时间以来,他看起来很高兴能够通过锻炼胳膊来弥补腿的缺陷。我感觉很孤单,我也很难再填满笔记本上的"谢谢收入栏"。大家都不再那么忙了,也没有很多小朋友要帮助了。当帕特里斯问我皮埃尔怎么样的时候,我把他的情况一五一十地说了出来。当他跟我说别担心的时候,我猜他把这些事情看得很严重了。

"哎,你别说这些事情是我告诉你的,可以吗?"

"不会的,不会的,你别担心了。不管怎样,你做得很好。"

接下来的几天里,什么变化都没有,只是皮埃尔更少出门了。我在他的房间里更经常性地碰到老师们。他的爸爸妈妈也来了,他们给他带来了新房子的照片。皮埃尔给我看那些照片:新房子真是太棒了!他的房间在一楼,所有的一切都被安排好了,他可以自己一个人应付一切。只是，他得学习才行。最开始在医院的时候,他试着不要任何人的帮助,但是因为他没有掌握技巧,所以就没能成功。他想要继续像健康的时候那样做所有的事情。这行不通,可以这么说！所以他放弃了。当他答应到体育馆来的时候,我以为我成功了,我以为帕特里斯会催促他,他有可能可以重新上到斜坡上面去。但是正相反,皮埃尔渐渐地放弃了。我注意到帕特里斯为了不让他完全放弃,帮助他更多了。刚开始,这让我很生气:我已经吃了那么多的苦,但是只要皮埃尔一感到气馁,帕特里斯就会跑过去替他做那些事情！我开始对帕特里斯不友好起来。我知道这很傻,但是我没法停下来。过了一段时间,帕特里斯把我拉到一边,低声地说:

"你怎么了,你是在赌气还是什么？"

刚开始我什么都不想说。要是他自己不想明白的话,我也不必跟他解释……

"我说了什么或者做了什么让你不高兴的事吗？你心情不好是因为卡里姆和其他人……"

他很努力地想知道为什么,他看起来很难过,我一下没忍住告诉了他实情。同时,我也觉得自己很傻。实际上,我是嫉妒皮埃尔了。但是帕特里斯却没有责骂我。他跟我解释说,我和皮埃尔的情况是不一样的:我一生下来就有残疾,我一直都知道自己永远都不能站起来走路了,我也不可能像正常人一样。这很不容易,尽管我时不时地会心情不好,但是我已经适应了。对于皮埃尔来说,情况却是不一样的。他直到车祸以前都是正常人,他会去街区里的初中上学,和朋友一起玩、一起跑,但是突然有一天,他发现自己被困在了轮椅里。这是一个重大的打击,按照帕特里斯说的,皮埃尔还没有接受他不能再像以前一样这个事实。所以我们得小心一点,不要对他无礼,等着他慢慢习惯……

所有这一切都说明我在七月初无聊透顶。那些组织活动的老师想要照顾我们,但是和那些小孩子或者"神经有问题的人"玩那些弱智的游戏并不是特别有趣。至于乒乓球,我的那些成年人队友经常在一场比赛打到中间的时候因为保健课或者有个探视而放弃比赛。

第二个星期过得稍微好了一点，因为我们终于装了电脑，米歇尔之前一直跟我们讲装电脑这件事。当装电脑的人来安装的时候，我和他一起溜到了房间里。要在家里装一台电脑，这是我很久以来的愿望！爸爸总是拒绝我，他说电脑对我们来说起不了什么大的作用。他自己有一台笔记本电脑，如果我们想的话，他会给我们看一些东西，但是绝对不可能在家里装一台电脑，不然的话，维克多就会不写作业、不出去和朋友们玩了，而是待在电脑面前玩那些弱智又暴力的游戏。

　　我真是太激动了，特别是因为米歇尔整个夏天都不在，我们不用做那些她想让我们做的事了。电脑工程师人很好，他同意在装电脑的时候让我待在他旁边。当他装好一台之后，他给我看了两三个游戏，太棒了！幸好爸爸看不到我。工程师走后，我一直很无聊地闲逛，老师们允许我自己一个人到电脑室里去，条件是我在离开电脑室的时候要把电脑关掉，把门关好。一天晚上，我把这件事告诉了皮埃尔。这让他精神振奋起来！他家里有一台电脑，而且他在出车祸之前上初中的时候学过信息技术课。太棒了，他可以教我点东西。

问题是我爸爸妈妈在几天后找我来了。我很开心，但是又不是那么开心。毕竟我和皮埃尔玩得很开心，我没跟爸爸妈妈说这些事情。爸爸有可能会因为老师们放任我们做自己想做的事情而生气。我有点担心皮埃尔：没有我的陪伴，他还要在中心待两个星期。他可能会觉得时间变得很长。我没法跟他说"再见"，妈妈看出来我有点不开心。

　　"要去爷爷奶奶家了，你好像不是很开心啊？"

　　"不是的，不是的……"

　　"要和朋友分开你很难过？"

　　"嗯，是皮埃尔……他可能会一个人，而且他的心情不是很好……他坐轮椅没多久，他还没适应……"

　　"这肯定很困难，但是他不是一个人，这里还有别的孩子，老师们也在这里，会帮助他的。"

　　"这不一样。"

　　这时，我忍不住了。即使我很确定他们会拒绝，我也得把这个问题提出来。

　　"你们说他可以和我们一起过几天假期吗？换换环境对他来说会有好处的！"

"西奥，不可能！你很清楚为什么！"爸爸回答道。

即使我已经预料到了这样的回答，我还是觉得他的语气很生硬。通常，他是很和蔼的。我在想他为什么心情这么不好。妈妈看出气氛有点紧张，她想要缓和一下气氛：

"亲爱的，我们不是不想邀请你的朋友，但是对于你的爷爷奶奶来说这个负担和责任都太重了……"

"算了吧！"

我知道，我们残疾人会给别人带来负担，家里的设施也不适合我们，但是，该死！其他的孩子他们就可以带朋友回家玩。我的弟弟总是邀请朋友回家。如果我的朋友不是两条腿而是坐在四个轮子的轮椅里，这也不是我的错！

我的问题破坏了出发时的气氛。维克多感觉到发生了不愉快的事，他尽力地在转移我们的注意力：

"哎，西奥，塞巴斯蒂安去哪儿啦？他回家了？"

"没，他在医院呢，要做手术。等做完手术他就又回来了。"

"那就是说他没有暑假了？"

"我想他可能在开学之前就回来了……"

"但他还是会觉得无聊的。哎,你还会教我打乒乓球吗?"

"会的,会的,再说吧……"

可怜的维克多尽力想要缓和气氛,可是我却不是很配合他。算了,我没兴趣玩"理解别人"的小孩儿游戏。

我们安静地坐在车上,一直到爷爷奶奶家。奶奶张开双手拥抱我们,餐桌已经摆好了,可以吃午饭了。所有的人都必须忘了自己的坏心情。吃完饭,爸爸妈妈就走了。像以前那样,妈妈有些难过,也有点儿担心,但是她也能休息一下了。

我的暑假过得太棒了。爷爷带我们在花园的深处盖了一个小屋,维克多成了钉钉子的专家,我负责画图、给他们递工具。小屋看起来很奇怪,屋门很大,门前有个斜坡,这是为了让我自己一个人就可以进去了。奶奶给窗子做了小窗帘,我们在顶楼里找到了很多旧的东西来装饰小屋。

爷爷又带我们去钓鱼了。这次,奶奶让他邀请了一个朋友来陪我们、帮我们上船。真棒! 我们回来的时候身上很干净,而且衣服都是干的!

奶奶今年不用再帮我做那么多的事情了,因为我会自己穿衣服、脱衣服、洗澡,然后爬上床。我觉得一方面她很高兴,因为她不用那么累了;另一方面她又为自己不能像以前那样照顾我而感到有些失落。每天晚上,当我要睡觉的时候,她都会忍不住过来问问我是不是一切都好。这让爷爷有些生气:

"别再打扰小家伙了!他已经不是小孩子了!既然他跟你说自己一个人可以,你就别再烦他了……"

"我总是害怕他会摔倒!"

"他又不是瓷娃娃,一摔就碎,而且他又不是不会说话,他可以喊呀,是吧,西奥?你都不知道我们在盖小屋的时候他都会些什么!他帮了我们很多忙。他甚至还能锯木板……"

说着他向我眨了下眼睛,因为他知道奶奶会按照他的意思做的……而且一点儿也没错!

"我可怜的于勒,你完全没意识到!他可能会伤到自己的!你不知道我在家里就有够多的事情了,我还得整天像对待小孩子那样注意着你!"

"行了，据我所知他不会弄伤自己的，我的孙子又不是笨手笨脚的！"

我和爷爷都笑了，奶奶后来也笑着走了。她并不是真的在生气。

今年暑假最棒的事情是爷爷去哪里都带着我和维克多：取报纸、买面包、和他的朋友们边喝酒边玩赛马（事实上，是他喝酒，我喝可乐）。他一直不停地跟别人说我的进步和在乒乓球上的成绩。我有些不好意思，但是同时又感觉很骄傲。最开始，维克多也想一起来，爷爷跟他解释说他现在还太小。我很高兴，因为终于有人记起来我是哥哥了！这和奶奶在一起不一样。她对维克多更爱护一些，但是奶奶和我聊得很好。我们聊了很多事：帕特里斯、安托万、皮埃尔、那些小朋友们、我和卡里姆还有其他人闹别扭的那件事，还有并不那么容易相处的爸爸。

为了帮助我理解爸爸，奶奶从我出生开始讲起。我不能像正常的孩子一样这个事实对妈妈来说是一个很大的打击，爸爸也很难承认我是个残疾的孩子，他试着像一切都很正常那样继续生活。直到维克多出生，他才真正意识到我的不同。他并没有因此而更喜欢我的弟弟，相反，他开始更多地照顾我，妈妈把精力都用到照顾弟弟身上了。她很害怕弟弟和我一样也有残疾，所以弟弟出生之后她才感到如释重负。她享受着拥有一个健康婴儿的喜悦。当我长大了，要把我送到中心的时候，爸爸一开始是反对的。他想让我待在家里，但是他去上班的时候妈妈的负担很重，而且在家里不可能方方面面都照顾到，还有上学的问题，所以他不得不接受。我不理解的是既然他这么关心我，他为什么不常来看看我。奶奶说这可能是因为他受不了中心的气氛。他可能觉得自己是把我给抛弃了，和妈妈认为这是一个更好的解决办法相反，爸爸看到的只是这个解决办法坏的一面。

这是第一次有人跟我谈起我的出生和我小时候的事。妈妈讲过很多维克多小时候的事，但是关于我，我却什么都不知道。我甚至都没见过我小时候的照片。奶奶跟我解释说照片很少：我的爸爸妈妈太累了，而且很难过，他们不会想到要拍照；至于爷爷和奶奶，他们也不敢拍，因为妈妈很伤心。但是奶奶还是给我看了几张照片。第一次看到我还是小孩子时候的照片，我真是太感动了。实际上我那时除了并不是很有活力的样子之外，和别的小孩子差不多。有一张照片是妈妈抱着我，她努力挤出一丝微笑。另一张是我、妈妈和爸爸三个人的照片。妈妈看着我，爸爸看着妈妈。在另一张照片上是我和一岁的维克多，他站在那儿，左手正努力地递给我一个玩具。我坐在一个壳形的东西里，努力地要去抓那个玩具。大家都觉得我抓不到。

和奶奶聊我小时候的事，看这些照片，真是太棒了，但是晚上当我躺在床上又回想这些事的时候，我哭了。我知道就算我是个残疾的孩子，爸爸妈妈还是会爱我。但是，还是很难告诉自己当我出生的时候他们并不是很开心。

几天以后，爸爸妈妈来接我。我们一起过了个周末，然后就和爷爷奶奶说再见了，我们直接出发去了南方。

我们第一次有了一套适合残疾人住的房子。真是太棒了！我可以坐着阿尔贝到任何地方去，甚至去厕所都可以，和在中心的时候一模一样。开始的时候，妈妈很难适应：所有的东西都被放得很低，她花了很多时间找电源开关和平底锅。我们快笑死了！而且，我可以参加大部分的活动了。

爸爸带着我和维克多去玩帆船。因为我被要求待在后面，所以我被任命为船的"舵手"，看起来我做得还不错。我第一次潜了水。当我进到水里的时候，还很不放心。背着一大堆的东西，我觉得自己会直接沉下去。实际上，一下到水里，事情就和我想象的恰恰相反了：我像宇航员一样处在失重的状态，第一次我的身体不再让我感到困扰。教练在我旁边，时不时地帮我保持平衡，以弥补我左手的缺陷，除此之外，我和潜在我们旁边的爸爸一样，我一点儿都没感觉到累，当教练跟我们做手势示意该上去的时候，我觉得很惊讶。已经这么久了！开始我被劝着到水里待五分钟，但是实际上我们已经潜了半个小时了。当从水中出来的时候我才明白确实到时间了。我感觉全身上下都很累，当别人帮我把潜水服脱掉的时候，我开始觉得很冷。幸好妈妈拿着温暖的衣服在岸上等着我们。

我很累，而且快冻僵了，但是我真的很高兴。爸爸答应我说还会再来潜水，尽管我看到妈妈并不是那么高兴。维克多有些不开心，因为他没和我们一起来。他还太小，至少还要等到明年才能来潜水。他得习惯自己是最小的孩子这个事实。

我也经常打乒乓球。我比大部分的人打得都好，不管是残疾人还是身体健康的人。我参加了假期快结束时举办的比赛，而且进了决赛！爸爸和弟弟都觉得这真是一个壮举,他们甚至比我还高兴。

爸爸和我又成了朋友。当他和妈妈一起来爷爷奶奶家找我们的时候,我不知道该怎么做。因为,我们分开的时候闹了点别扭,都有些生气,就算是奶奶告诉了我那些事之后,我也不想主动示好。我又想原谅他,又不太想原谅他,所以我也不再纠结这件事情了。但是,从那之后,我的暑假变得很丰富多彩了。一天早上,在陪我打乒乓球的时候,爸爸问我:

"哎,西奥,你不怨我了吧?"

"为什么要怨你?"

我假装不明白地回答道:

"嗯,因为中心举办的那场乒乓球赛!"

"哦,这个!不,不……我知道这不是你的错……"

这不是我真正的想法,但是我不能拒绝他的主动示好。他沉默了一会儿,继续说:

"奶奶跟我说你们谈论了你刚出生没几年时候的事情,你也提了很多问题。"

我不知道该怎么回答。他接着说:

"你想知道更多小时候的事情,这我很能理解。我们不跟你聊这个是我们的错，但是我觉得这对我们来说有点难。不要认为你的出生是一场灾难，即使，最初在了解到你不能像别的孩子一样的事实之后，我们确实很震惊，需要很多的时间来接受这个事实。我觉得我们做到了。也许不是百分之百地接受了，因为我不常去看你。奶奶说得很对，我不太喜欢去中心……"

"哎，爸爸，你有我小时候的照片吗？"

"有几张……"

"我能看看吗？"

"当然能，我们到家以后我去找找看。"

我们打乒乓球迟到了点，但是没关系。爸爸答应要给我看照片，我很高兴。

暑假结束回家的路上，我们中途在几个朋友家停留了几次。这比在宾馆里好多了：当我冲到餐厅的时候，要看看大家的表情。我总是觉得自己像火星人似的。只是如果真是火星人，他们会把他给剁成碎片，而我，他们几乎只敢用眼角的余光瞟我一眼。或者，他们只是远远地看向我，窃窃私语，我猜他们谈话的主题就是我。他们只需要给我一个简单的微笑，而不是那种带着同情的笑："可怜的孩子，你还是很惹人爱的。"不！一个简单的欢迎性质的微笑就够了。

在保罗和卡特琳娜家里的时候，完全没这种问题，他们认识我很久了。当我们发现一张乒乓球桌的时候，我们几乎都想不起来他家还有这个，我们立刻就开始玩了，保罗、维克多、爸爸和我。那些女士们花了很大的力气才把我们叫去吃晚饭。

在他们家的时候，我住在一楼客厅旁边的办公室里，也就是偷听他们打发我们上床睡觉之后谈话的最好地方。一般在这种时候他们聊的都是关于我的事，那些大人们不敢当着我的面问情况。他们觉得爸爸妈妈知道那些我忽略了的事情，他们以为我不接受治疗，但是事情早已经不是这样了。

简单来说，现在是"他的近况"时间。我听到爸爸妈妈说在精神上更困难了，因为我越长越大，也开始意识到自己的残疾。一篇关于精神问题的演说就是这样的！他们说现在事情开始有顺利解决的倾向。爸爸又说我非常敏感，开始提一些关于我出生的问题。妈妈显得很惊讶：

"啊,他跟你说这个？什么时候？"

"他和他奶奶已经聊过这个了。他一直很想知道他小时候是怎么样的,我们当时是怎么度过那段日子的。"

妈妈没有说话。

"这是我们的错,我们想保护他,不给他看任何能让人联想到那一段困难的日子的东西,但是我们可能错了……"

"我觉得我不能和他聊这个。"妈妈说。

"他明白很多事情,即使这些事理解起来有些困难,这点我很确定。不管怎样,我们都不能不回答这些问题。"

"宝琳娜,我觉得奥利维耶说得有道理。当我们瞒着孩子事情的时候,他们是能感觉到的。他们总是想知道事情的真相,否则他们就会胡思乱想。"

"你说得对,但是我在想我真的能跟他聊小时候的事情而又不重新体验那段日子吗……"

"但是,对他来说他必须知道那些事。"爸爸坚持着。

接着,他们又回忆了暑假我们一起做的事情。爸爸妈妈在描述那套海边的房子。突然,爸爸说我们不能再继续住在一个不适合残疾人的房子里，我们必须搬家。

保罗和卡特琳娜立刻说这也许是最好的解决办法。妈妈沉默了。我知道为什么：她很喜欢那所房子和花园，他们在那里至少住了十五年了。

爸爸又说，既然要搬家，我们可以尽力搬得离中心近一点，这样我就可以每天回家了。我躺在床上简直不敢相信自己的耳朵！我努力克制住不让自己大喊出来："太棒了！"妈妈还是没有吭声。

"宝琳娜，你觉得怎么样？"

"我觉得这简直是十全十美。但是你想过我们要每天都照顾他吗？早上的时候，简直是要赛跑……"

"维克多长大了，他变得更独立了，这样你就有更多的时间来照顾西奥。而且西奥进步也很大，他不再需要那么多的帮助了。如果我们安排得好，我们就能做到。你甚至都不需要开车送他去中心，我们可以申请一辆轻型救护车。"

"你说的可能有道理……但是钱这方面却不容易。肯定会有很多事情要做，要填几千份表格，而且我们也可能得等上很久才能享受到搬家的补贴……但是我们应该能享受到一些帮助。当西奥去中心的时候我已经大概打听过了。"

"不管怎样，我们要试一试，宝琳娜，你觉得呢？这可能会改变你的生活，还有西奥的生活。"

"当然，保罗。只是这让我有些害怕。你知道，我们已经成功地找到了某种平衡。而且，我也不知道维克多会怎么看待这件事！"

"他还小，他会交到新朋友的……"

"我们也不用马上就决定，但是我们可以开始留心察看一下。"

我没听到他们谈话的结尾，因为我睡着了，但是我做了一个关于搬家的梦。我在一个很大的房子里，这个房子既像我们暑假住的那个房子，又像我们自己的家，还很像中心。妈妈显得很慌乱，因为我们上学要迟到了。新房子实在是太大了，她找不到维克多。我自己一个人上到了轻型救护车上。真奇怪，因为车是爸爸开的，而且维克多就坐在后面。我努力向妈妈大叫说别担心，但是她听不到。这时我醒了，我一边回想这个关于搬家的故事，一边告诉自己最好别太相信这个事情。事情还没成功，而且也许要过很多年才有可能实现。

我们在开学的前几天回到了家里。因为爸爸还有几天假，我可以继续待在家里。维克多又重新和朋友们还有他的房间见面了，他很高兴。妈妈也很高兴，因为她又能见到她的花园了。而我很清楚地看出这个房子和暑假住的那个房子的不同：在我的房间和客厅或者厨房之间，有一个我过不去的台阶。所以，如果我想上去，就要麻烦爸爸，下来的时候也一样。

结果是我经常感觉很无聊，因为要么我在下面，我把一本书忘在了上面，要么我在房间里，而又想看电视了，但是五分钟前我才要求要上来，我不好意思再让他帮我下去。两天之后，我想回到中心去了。

爸爸妈妈在开学的前一天晚上开车把我送了回去，维克多又见到了塞巴斯蒂安和纪尧姆。

塞巴斯蒂安看起来有些累，但他还是很活跃。这三个人趁着开学前惯有的忙乱跑了出去。当一个老师来问我们有没有看到那两个调皮的孩子——塞巴斯蒂安和纪尧姆的时候，我们才意识到弟弟已经不在我们附近了。

我们在公园的另一边找到了他们，他们三个正在铺着细草的斜坡上跑着玩。维克多把他们的轮椅推上斜坡，他们在下来的时候比赛赛跑！他的朋友们可能摔倒受伤，特别是刚刚做完手术的塞巴斯蒂安。他们真是找骂！老师护送那两个孩子回了房间。维克多央求着要和我们待在一起，他直到走的时候还是拉着个脸。

不管怎样，我很讨厌这些告别的场景。大家不知道该说什么，都觉得很局促不安。我看得很清楚妈妈有些难过。至于爸爸，他装着看到事情好的一面。而且老师们也在忙着安置那些新来的学生、安慰那些小孩子还有让家长放心孩子。我们四个在我的房间里无所事事。妈妈忙着把我的东西从箱子里拿出来放好。每隔三分钟，她都要问我她应该把这个或者那个放到哪里。这让我有些恼火，我感觉自己是在给佣人发号施令一样！而且，这些我可以自己做的！

当她终于整理完我的东西，爸爸觉得让我一个人待着会比较好。我陪他们走到车那里，我想让他们走，但是我的喉咙又在阵阵发紧。

还有一个小时才吃晚饭，我去看看能不能找到皮埃尔。

皮埃尔不在房间里。回我自己房间的时候，我经过了卡里姆的房间。他房间的门是开的，他看见了我，朝我走过来。我们像什么都没发生一样聊了几句。他看起来好像忘了几个月以前他已经把我抛弃了。而我什么也没说，因为我感觉有些孤独。我们一起去吃了晚饭，我看到了皮埃尔。卡里姆看到了杰约姆，他又朝杰约姆走去。算了吧！

9

　　皮埃尔看起来比放假前精神好多了。他的爸爸妈妈已经搬了家，现在他们住的地方离中心特别近。皮埃尔可以每个周末都回家，他可能很快就会回家住，变成走读生了。这对他来说很不错，但是我却很难为此感到兴奋。要是他不再住在这里了，我可能还是一个人，因为卡里姆选择跟杰约姆的小团体待在一起。皮埃尔跟我说，在我去过暑假之后，他的时间大都是在电脑室里度过的。他要给我看他在网上下载的游戏。吃完晚饭，我们立刻回到了房间。明天还要上课，而且不管怎样，我感觉很累了。

我又重新找回了之前习惯的生活节奏：上课、保健课、"垂直训练"（老师跟我解释说我不能太久不上这个课）、体育课、学习、睡觉，然后重新再来一遍……我又拿出了我的小记账本了。

事实上，我很高兴再见到帕特里斯和那些小朋友们，甚至还有保健员们。保健员和肌肉训练员已经习惯了我帮助他们把小孩子从一个房间带到另一个房间去。那些小家伙也很高兴，因为他们等待的时间变短了，而且我们在一起玩得很开心。他们甚至为了让我陪着他们而和老师据理力争。

这对护工蒂埃里来说有些不公平，他人也很好，但是这是不一样的，因为他是成年人。为了做这些事情，我不管干什么都会迟到。算了，至少我本子上"谢谢"的盈余还是很可观的。

小孩子们经常问我在本子上写些什么。我跟他们撒谎说写的是"我的日记"或者是"我的时间安排"之类的东西，他们也就不再坚持了。

我很害怕卡里姆或者是杰约姆碰到我在记账，他们可能会不顾我的颜面，跟所有人说我帮助别人只是为了赚取那些"谢谢"。他们说的可能是事实，但是并不全是事实。我是真的很喜欢帮助那些小孩子或者是大人，虽然我开始记账是为了要弥补那些我不得不说的"谢谢"。真感谢这个小本子，我不再和护工产生矛盾，也不再因为寻求帮助而感到羞愧。我可以说"谢谢"，而不会感到我整天只会说"谢谢"而不做别的事情。但是，我也不会滥用我的"谢谢"，因为有些事我不能接受，那就是等待，总是在等别人有时间帮我做我要求的事情。

不久前的一天，我因为一件事被骂了：一个五岁的小男孩阿尔诺想要玩一个游戏，但是玩具被放在很高的地方。我叫了尚达勒，但是她正忙着帮瑞贝卡做垂直训练，要我等一会儿。但是我想自己拿那个东西，所以"嘭"的一声整个架子都倒下来了！尚达勒匆忙跑了过来，她生气了。

我没争辩，只是说了声"抱歉"就走了。我很想说："不，我不想等两分钟，因为这两分钟很可能就会变成十分钟，而且阿尔诺也不能独自一个人，因为他是一个脑瘫患儿。"

自从开学以来，我和皮埃尔一有空闲时间就跑到电脑室去。皮埃尔给我展示了他来到中心以前学的所有的东西，我们决定创建一个我们自己的网页。我们也和其他的孩子在网上聊天，但是我们建立网站这件事情却没什么进展。所以，一个星期二的晚上，我们决定假装睡觉，然后回到电脑室里继续工作。

9点的时候，我们和所有人一样回到房间里，等到老师们巡查完之后，我们又偷偷地起床了。我要去找皮埃尔，不能弄出声音、也不能碰到任何一个大人。当我们坐在轮椅里的时候这件事不是那么容易。中心的门很大，但是我们还是会碰到它们或者撞到某一个角落。而且阿尔贝的马达并不是完全没有声音的，更不用说轮子和地板摩擦的声音了。

没有遇到什么困难，我成功和皮埃尔会合了。但是最难的事情是到护工的房间里去。幸好房间里没人，我们知道电脑室的钥匙挂在哪里。我负责放风，皮埃尔进去拿钥匙。突然，我听到走廊里有人……我感到很慌张，找到皮埃尔，我们关了灯，把门也关上了。我们屏住呼吸。脚步声近了，我们听到有人从门口走过。他没停下来。喔唷！我们还是等了一会儿才敢从藏着的地方出来。

　　外面没有人，很安静，所以我们朝着目标前进。我们太紧张了，都忘记了门锁是朝里面锁的，根本打不开。最后，我们终于进去了。成功！因为我们太激动了，所以狂笑了一阵。我们打开灯，坐在一台电脑面前开始工作。我们在凌晨2点钟的时候才停下来！我从来都没这么晚睡过……要是妈妈看到我这样会是什么反应！当我正在想这个的时候，我们听到了脚步声！我们飞奔到门口去关灯。我们的轮椅撞到一起弄出了很大的声响，但是，还是太迟了：有人正在开门。这下我们完蛋了！而且更让我们绝望的是，是帕特里斯值班，他向来不会拿纪律开玩笑。

　　"你们在这里干什么？"

　　"呃，什么都没做……"

　　"凌晨2点的时候我在电脑室里发现你们两个，你们还什么都没做？别把我当傻子！"

　　"不是，实际上，我想说……我们刚刚做完作业，我们迟到了！"

"西奥，你想让我相信你们老师给你们布置的作业太多了，你们不得不晚上起来才能把作业写完吗？那别人呢，他们的作业跟你们的不一样？"

"呃，不是，但是……"

"我明天就把这件事跟米歇尔说说！"

"好吧，算了……我们正在完成一项私人的计划。"

"嗯，好，别觉得不好意思啊！我想知道你是怎么有这个房间的钥匙的？"

"也就是说……"

"顺便问一句，你们不会是偷的吧？"

……

"这才是重点！这件事会引起轰动的！年轻人，你们要去睡了！听到这句话，你们应该立刻静悄悄地回到床上去，不准吵到别人！关上电脑，把钥匙给我。我在五分钟以后去你们的房间。"

我们照着他说的做了，一句话也没说。激动的心情也没有了。我们也不想笑了，只是相互说了再见，我们就开足马力回到房间里去了。我很快就躺到了床上。我听到帕特里斯到我的房间里来，但是我却装作睡着了的样子。事实上，我没有这么快就睡着！这一次，我们有可能被开除，至少也是暂时被开除。爸爸妈妈会说什么呢？

第二天，我和皮埃尔一起吃早饭。我们两个都很累，但是除此之外，一切都很正常。我们甚至在想昨晚是不是做了个噩梦。或者帕特里斯没有告发我们，也许他并没有看起来那么要求严格……

我们很快就失望了：当我们吃完早饭的时候，玛努过来了。

"哎，你们这对搭档昨天晚上在走廊里干什么了？勒阔尔先生让你们9点钟到他的办公室去。"

我们什么也没说，只是对视了一会儿，我忍不住爆发了：

"这个帕特里斯，太坏了！我们用电脑关他什么事？我们又没弄出声响，也没妨碍到任何人！"

皮埃尔耸耸肩，他看起来没我那么担心，应该说他还不太清楚勒阔尔先生的名声。勒阔尔是主管寄宿生的主任，别看他的名字起的是那样（注：在法语里，勒阔尔是个姓，但同时也有"心"的意思），他可不是个软心肠的人！总而言之，我们这次完蛋了。

8点55分的时候，我们敲开了秘书室的门。

"啊，你们来了！嗯，可以说你们两个有些过分了！你们两个是怎么了？"

秘书瞪了我们两个一眼，但是她并不坏。我们看出来她对我们的态度实际上是有些尴尬，而不是生气。她给我们指了指勒阔尔先生的门，小声地说：

"今天早上当帕特里斯跟他说这件事的时候，他很生气，但是后来就消气了。要是你们注意点自己的言行，可能不会那么严重，再说你们也不经常被请到这里来。好吧，管好自己的嘴巴，等着暴风雨过去吧……要明白，他不能让你们为所欲为。"

我很想回答她说我们没偷东西也没杀人，但是我不敢。嘟哝了一个"谢谢"之后，我们就等着主任先生接待我们了。

"请进！"

我们把轮椅一直推到他办公室里。过了一会儿，他从文件里抬起头来。

"你们好啊，年轻人。"

"呃……先生,您好。"

他看着我们,什么也没说,好像要等我们先说话。但是,好吧,是他把我们叫过来、要见我们的,不是我们要见他。最后,他下了决心:

"好……你们的老师跟我讲了你们昨天晚上做的好事,我还在想我是不是听错了!"

说到这儿,他戴上眼镜,向着一堆文件弯下腰去:

"你们未经允许擅自在规定的睡觉时间之后起床,又未经允许跑到了走廊上,到护工的房间里偷了电脑室的钥匙。你们在半夜的时候跑到电脑室里,在没有成年人在场的情况下擅自使用中心的设施。这就违反了五项住宿生的规定了!你们不觉得这已经很过分了吗?这项规定有存在的依据,我希望你们能遵守它!先说你们在晚上用电脑干了些什么?"

"我们在创建自己的网页……"我小声嘟囔着。

"看到了吧!我们未来的计算机专家们在独自创建网页了!但是这件事一定要在凌晨2点钟干吗?"

"不是,可是……"

"好了,年轻人,在等着你们被比尔·盖茨聘请的这段时间里，你们只能在你们老师的规定时间和条件下使用中心的设施。至于我不得不采取的惩罚措施在我决定好时也会向你们的父母传达。很明显，为了补充睡眠，你们在一个星期之内必须每天晚上一吃完饭就去睡觉。现在你们可以回到教室里去了。"

"先生，再见。"

"先生们，祝你们度过美好的一天。"

他又埋头看文件了，我们就出来了。秘书在等着我们：

"怎么样？"

"呃，我不知道……在一个星期之内必须一吃完晚饭就睡觉……"

"这根本不算惩罚！"

"他也说了还会再采取别的惩罚措施……"

"你们不用太担心了！这也就是说他会和老师还有心理医生谈谈。对你们来说，这是在帮助你们。"

"谢谢……再见。"

我们在走廊上，不知道该怎么看待这个惩罚。皮埃尔在一边赌气。

"呃，别把这件事看得太严重了！我们不是第一个做蠢事被抓到的人！卡里姆和杰约姆，他们每隔几天都会被请到这里，而且他们也没被怎么真正严重地处罚过……"

"你的卡里姆和另外一个笨蛋对我来说根本无所谓！因为帕斯里斯和那个'规定先生'，我会错过篮球训练的。你当然无所谓，你的乒乓球训练是在下午……"

"呃，卡里姆不是'我的'，而且篮球训练被安排在晚上也不是'我的'错。你是在生气，好吧。你也不用这么埋怨我吧。"

我们没有再说什么，又朝学校走去。

我知道，对皮埃尔来说，篮球很重要，但是他也太夸张了！他从一个极端走到了另一个极端：去年，我得拉着他，他才肯去体育馆，但是自从开学以来，他去得比我还勤。他自己已经可以很好地应付一些事情了。当他能够完全控制自己轮椅的时候，他会变得很棒的。我得承认这让我有些不开心，特别是皮埃尔总是在安托万的球队训练的时候待在那里。现在，是他"跑来跑去"帮帕特里斯的忙。

我觉得我不仅仅是站在篮球场外，我也已经成了局外人。安托外对我仍然很好，但是我看得很清楚他和皮埃尔说话说得更多。虽然帕特里斯努力说服我说我仍然还是球队的吉祥物，但我仍然觉得有些事情在改变，我也不得不接受这个现实。

最好把篮球忘记了，即使我仅仅是一个球迷。

10

在我们"夜晚的历险"之后不久，皮埃尔就不再寄宿了。我们白天的时候还会在学校或者餐厅见面，但是事情已经不像从前那样了。也许是因为他的离开，我再也没听到关于勒阔尔先生说的严厉的惩罚措施了。

不管怎样，晚上或者周末的时候都不能去电脑室了，因为老师们禁止在公共的课堂时间之外把电脑室的钥匙交给我们。

我想到这些设施就在离我不远的地方，我还有一个没有完成的工作，因为一个愚蠢的关于规则的故事我就不能到电脑室去，这些想法让我有些生气。而且，我觉得很无聊，特别是在我不能回家的周末或者我没有太多作业的晚上。

为了消磨时间，我更频繁地去体育馆了。帕特里斯很高兴，即使他已经猜到了我这么做是为了让自己忙碌一点，而不完全是因为我在体育馆里感到快乐。和那些小孩子们在一起时也是如此。如果我还坚持帮别人的忙，这真的也只是为了保持我账户的收支平衡。

慢慢地，我变得很小气：如果我的账户里没有"谢谢"的话，我绝不多说一个"谢谢"。

好的一面，是我又开始为了独立而更加努力，帕特里斯能够理解我。他把这些事告诉了肌肉训练员。十月底的时候，阿尔贝被改造成了一种"不明行驶物"，人们在它身上所有的地方都装上了小口袋，还有一块可以竖起来的板子，这样我就可以运很多东西了。

多亏了一个后视镜和一个长长的有关节的钳子，我可以自己抓到书包里任何我想要的东西。这可以被认为吉罗（迪士尼的漫画人物，是个天才发明家）的一项发明或者是加斯东·拉格菲（漫画形象）制造的机器，只是这项改造是可行的。人们不会再把阿尔贝和其他轮椅搞混了！

　　我绝不会告诉你们当妈妈来接我过诸圣瞻礼节(法国的万圣节)时候的表情。幸亏这些配件都可以取掉，不然，阿尔贝连汽车都进不去！

　　当维克多看到重新装好的阿尔贝时，他兴奋极了。他抓着阿尔贝带我到停车场里去疯玩，这让我很开心。弟弟的朋友们也来了，他们轮流坐上这个新玩具。对他们来说，这就像维克多过生日的时候得到了一辆新的自行车一样。但是没过多久，邻居们就跑过来叫走了各自的孩子。我想他们肯定是害怕看到自己的孩子坐在轮椅里，即使只是玩玩也不行。维克多对邻居们的想法毫不在乎，我觉得很搞笑。

　　我一到家里就注意到了钢琴上的照片。这不再是爸爸妈妈结婚时候的照片，也不是维克多还是婴儿时候或者我六岁时候的照片了。

　　我冲过去近距离地看它们。妈妈看到了我，但是她并没有跟过来。我听到她在背后问我想要让她把我学校的东西放在哪里，我没有回答。有一张照片是我年轻的爸爸妈妈怀里抱着一个小婴儿，另一张是我弟弟躺在一张躺椅上，我在一边的套壳背心里。第三张是我坐在轮椅里，维克多坐在我的膝盖上，妈妈看着我们，随时准备在维克多滑下来的时候去接住他。

我转过身叫妈妈，但是她在房间里消失了。维克多在这个时候回来了，他开始评论这些照片：

"那个小婴儿，是你。你那时还没有轮椅，因为你还很小，我还没出生呢。这个是我，当时我有三个月。在那个绿色东西里……"

"一个套壳背心……"

"是的，就是这个，套壳背心，你坐在里面。你不能一直坐着，这个东西可以帮你，是爸爸告诉我的。最后一张照片上，我坐在你的膝盖上，你坐在轮椅里。哎，这不是阿尔贝吧？"

"不是，这是我在有阿尔贝之前坐的轮椅。"

"那你为什么要换轮椅呢，它不好吗？"

"不是的，它后来给我用太小了。"

"它叫什么名字？"

"它没有名字。"

"啊，好吧……当你有了阿尔贝的时候它怎么样了？它被扔到垃圾箱里了吗，西奥？"

哎呀，我从没想过这个问题，但是我得快点想个答案出来，因为维克多看起来有打破沙锅问到底的架势。

"呃……它被捐到了中心去，应该有别人在用它吧。"

"所以说他被另一个小男孩'收养'了？"

"呃……是的，是的，没错……"

"孩子们，来吃点心吧？"

"好的，妈妈，我们就来……"

"呃，妈妈，你知道谁'收养'了西奥的第一辆轮椅吗？就是那个没名字的轮椅。"

"嗯？呃……我不知道。但是，亲爱的，我们不能说'收养'，因为轮椅它不是小孩子或者小动物……"

"我知道，我又不傻……要是是塞巴斯蒂安或者纪尧姆该多好啊……"

"呃，我觉得不可能，因为他们到中心没多久。"我回答道。

"那会是谁？哎，你能问问吗？"

"能，能，再说吧……"

"哎，妈妈，要是我跟西奥一样是个残疾的孩子，是不是那辆轮椅就会给我用？"

"好了，听着，关于轮椅的故事到此为止。你们吃完了吗？维克多，你帮我收拾桌子。"

"为什么总是我？西奥，他也在这儿……"

"维克多，按我说的去做，不准再用这种口气跟我说话！你现在是怎么了？"

"不，我不收拾。而且我也受够了，你一直不停地训斥我！"

"维克多！不准讨价还价，按我说的做！"

"就不！"

"嘭"的一声！他把门摔上走了！

"哦，他最近真是太让人忍无可忍了！"

这迟早会发生的……他说的没错，这些苦差事总是他做。我也可以收拾两个杯子，然后把桌子擦干净……

当妈妈去水池那里取洗碗布的时候，我赶忙走在她的前面。

"让我来吧，妈妈，我可以做的……"

她看着我，我看到她眼睛里的泪水。我不知道为什么，但我很后悔……我回到客厅里去……

维克多在一边赌气，他一动不动地盯着电视。我也不用费力气跟他提议出去玩集体游戏。我像一个傻子一样无所事事：我不想和弟弟一起看动画片，也不能回到我的房间里去。我拿起一本忘在客厅里的书，但是完全看不进去。我觉得我会埋怨他们两个的，因为他们浪费了我假期的第一天。

幸好，爸爸很早就回来了。

"儿子，你好啊。放假了高兴吗？"

"嗯，高兴……"

"哎，事情看起来不是这样的啊。"

"不是，不是……"

"哎，快点！跟我说说！发生什么不愉快的事了？"

"好吧，我不知道……是妈妈……"

"妈妈怎么了？"

"她对维克多发火了，因为维克多不愿意收拾桌子，而且发了一通牢骚……"

"妈妈没错……"

"可能，我不确定完全是因为这个……我觉得是因为维克多说的关于我的旧轮椅的一些话……而且，钢琴上还有些照片……"

"啊，你看见照片了？高兴吗？"

"嗯，高兴，但是维克多一直在问我的旧轮椅的事，妈妈就……"

"听着，你别担心……还是让我来处理。你想回房间吗？"

"是，我很想回去……"

"我们向着楼梯出发喽！"

我不知道爸爸跟妈妈说了些什么。在晚饭的时候一切又恢复了正常。哎呦！

第二天，下雨了……一点都不好玩，即使十月份下雨很正常。但是爸爸却有一个绝妙的点子：他把车从车库开出去，然后和维克多一起在那里放了一张乒乓球桌。我们打了好几局，直到维克多开始生气：我们打得太好了，他总是输！他有时也会让人感到厌烦……为了安慰他，吃完午饭，天晴了，爸爸就带他去骑自行车了。

我躺在沙发上看漫画书，妈妈过来了。

"你能给我让个位子吗？"

我用胳膊撑着坐起来，然后把头放到她的膝盖上。我看着爸爸放在钢琴上的新照片。

"哎，妈妈？"

"嗯，亲爱的？"

"要是钢琴上的照片让你觉得难受的话，我们可以把它换掉……"

沉默……

"不是因为这个……"

"不是因为这个，那是为什么？"

我知道我让她很为难，但是既然都已经开始聊这个话题了，我想知道更多的事情，所以我又问道：

"当我出生的时候你很失望吗？"

"不！"

"但是，你还是很希望有一个跟别的孩子一样的小孩儿，不是吗？等等，别告诉我你为有一个像我一样的孩子而感到高兴！"

"不，事实上，这不是因为我很失望……听着，要解释起来很难……你知道，爸爸和我，我们真的很想要你这个孩子。当我知道怀了你之后,我真的很高兴。"

"但是,接下来呢,我想说在怀孕的时候,你知道我会是个残疾的孩子吗?"

"不知道,超声波检查什么都没检查出来……"

"那就是说直到出生的时候你才知道我不会像别的孩子一样了?这真是个惊喜!"

"是的……最难的事情是有人把你从我身边带走了,把你送到了医院里,不知道你得了什么病……"

"我当时是一个人在医院里吗?"

"只有晚上是,因为我们当时尽可能地长时间陪着你……"

"我在医院里待了很久?"

"差不多一个月……"

"你们把我留下来,应该很难过吧……要是我死了,可能会更好一点……"

"西奥!别说傻话!"

"这不是傻话。如果这样的话,你们刚开始可能会难过,但是接着你们就会有一个正常的孩子,像维克多那样的孩子!这样,你们就不用待在医院或者医生家里,也不用去中心了!"

"是的,要接受你跟别的孩子不一样这个事实对我来说真的很难!我不像别的妈妈迎接她们第一个孩子出生时那样高兴。我也不知道在我们很期待你的时候,这件事为什么会发生在我们身上。我们已经做好了迎接你的准备,我们会给你我们拥有的一切。我们本应该和自己的孩子一起幸福地生活,但是,相反我觉得当时就像一个噩梦。我们的幸福被偷走了。虽然这么说,但我从来没有后悔有你这样一个孩子,当你开始睁开眼睛的时候,就算给我世上所有的金银财宝我也不愿意换。"

"就算这样,这也不一样……"

"这是什么意思?"

"呃,你们不可能像别的父母那样为我感到骄傲。我总是迟到,我不会走路……"

"这和那个没关系……你要知道,你已经有进步了。但是,就像你说的那样,总是落在后面。我们要经常照顾你、鼓励你,带着你到这里那里去,但是我们很少想到要拍照片。但是我们为你的进步感到骄傲,也许比其他孩子的父母还要骄傲，至少在我们知道我们已经出局的时候是这么想的。"

"这是什么意思？"

"呃，好吧，你知道，父母总是希望他们的孩子能是第一个会走路的，是第一个自己知道大小便的，是第一个叫"妈妈"的，等等。我们不能跟别人比。当然，最开始看到别的孩子比你进步得快，让我们觉得很难受。直到我们承认你应该有你自己的步伐的时候，从那以后，事情变得容易了。你是不是比邻居的孩子早拿勺子或者能让你的长颈鹿立起来，这些事我们都无所谓，这不再有任何意义……关键是你进步了，而且你觉得很高兴。"

"当维克多出生的时候，你应该特别高兴吧！"

"当然，就像任何一个孩子出生时一样高兴！"

"除了我的……"

"这是不一样的。至于你，我花了很长时间才懂得享受你带给我们的快乐，但是对于维克多来说，我可以立刻享受这种幸福。不管怎样，你要知道我们有你这样的孩子觉得很幸福……"

"那为什么你从来没说过我是小婴儿时候的事情？

为什么我从来没见过我那时候的照片？"

在这点上，我感觉妈妈被我问得无言以对。但是我知道这是唯一的机会。

"我很害怕在跟你谈起那段时间的时候，重新又过上那样的生活。"

"但是这只是回忆而已，它们都已经过去了。这不是我们现在的生活。"

"你说得对。但是，如果人们经历过很严重的事情的话，在回想这段时间的时候，就有点像重新再过一遍那样的日子……"

这有可能，但是我却什么都想不起来，而且我真的很想看看那些照片。所以我很自私地继续问：

"我很希望有一天能看看其他的照片……照片在哪儿，阁楼上吗？"

"有一些在，但是还有一些在我们房间的相册里……"

"照片上的我有几岁？"

"呃，从小婴儿一直到六七岁……"

她摸了摸我的头发，然后拥抱了我。接着她抬起头想要站起来。

"我去给你找照片，我们一起看看。"

成功了！妈妈带着相册回来了。她又重新坐到了沙发上。

在看前几页的时候，我像盘问妈妈一样问了很多问题，当看到我长大一点的照片时，是妈妈自己一个人在讲。有一些和维克多一起拍的，有些是我坐在轮椅上拍的，还有在中心拍的，在照片上我和卡里姆打扮成了医生的模样。

"真可惜，你们两个不再是朋友了，你们相处得很好的。你们在中心待在一起很久了……"

"是的，很可惜……"

她没再继续说下去，我也不想再谈这个话题。

当爸爸和维克多进来的时候，我们还沉浸在相册里。他们两个开门的时候我们吓了一跳。维克多被雨给淋湿了，他跳上了沙发。

"你们在看什么？啊，照片！我可以看吗？"

"维克多！看你的鞋！知道你现在是什么样子吗？你会把东西都弄脏的！"

我在想，一个不会走路的小男孩儿还是有好处的

（意思是不会穿着鞋把东西弄脏），但是我是不会说的！我不确定妈妈能不能理解我的幽默……

爸爸抓着维克多的夹克衫朝鞋柜走去，接着把他送到浴室。在这个时候，妈妈正在给大家准备热巧克力。我又像个笨蛋一样，一个人待在沙发上。

我坐上阿尔贝，朝厨房走去。绝对不可能问妈妈我能不能帮她，我早就知道她的回答。

我从洗碗机里拿出碗，那些碗还是热的，因为这些碗刚刚洗好。

我看到妈妈想要跟我说点什么，比如"亲爱的，把碗放那儿吧，我来"，最后，她忍住没说，朝我笑了笑。我把碗和其他的餐具还有松甜面包放到我轮椅的板子上，直接朝餐厅走去。

当爸爸和维克多又过来的时候，妈妈把巧克力递给他们。

"谢谢你，亲爱的，这让我们又暖和起来了！"

"别忘了西奥，是他帮我布置餐桌的！"

说着，她朝我眨了下眼睛，这不仅仅是为了感谢我的帮助。我很高兴，感觉很轻松。

吃完点心，维克多又谈起了照片。他和我一样，总是想到什么就去做什么……

我们把相册放到桌子上，我给弟弟讲起了照片。我看到爸爸走到妈妈身后，紧紧地拥抱着她。

11

　　假期结束了之后，回到中心对我来说是件很痛苦的事。自从"照片事件"之后，虽然行动不便，但我在家里感觉好多了。我很难再找回原来的生活节奏，而且我没有朋友了。皮埃尔从此之后不再是寄宿生了，我们只是在课堂上或者在体育馆里才会见面。小朋友们对我还是忠心耿耿，但是，这不一样！杰约姆的小团体继续对我视而不见。他们总是肆无忌惮，完全没有意识到别人已经真正开始厌烦了。我有些替卡里姆担心，因为不管怎样，我还是很喜欢他的，而且我知道他是被强拉下水的。该来的事情总是会来的。

一天他们又把一个人锁住了，这次是一个场馆里面的护工。他们把她忘在了洗衣房里，整整一天的时间。这个可怜的人有幽闭恐惧症：她变得完全手足无措了。这件事让人忍无可忍，这次杰约姆没能顺利脱身，因为是他出的主意。他已经有两次警告处分了，这次他被开除了。他的爸爸妈妈也没能求得勒阔尔先生发善心。卡里姆勉强地逃过一劫，这件事让他突然冷静了下来，就好像这件把他和杰约姆分开的事情让他重获了自由一样。

我们又找回了那个善良又搞笑的卡里姆。他总喜欢讲笑话、表演闹剧，但是特别善良。和杰约姆在一起时，他的笑话总是有些冷漠无情，而且表演的闹剧也是充满了低级趣味，我因此也不想和他交朋友。既然卡里姆现在是一个人，我应该可以张开双臂欢迎他。但这并不容易，所以我们即使碰到了，也仅限于说声"早上好"、"晚上好"而已。开学的时候也有新转来的同学，但不是在我们班里。我也没有机会经常见到那些新来的同学，应该说我的时间安排得太满了。在学校里，事情不太顺利，也许我得更努力些才行。我忙于赚取或者节省那些"谢谢",完全没有时间学习。米歇尔开始有些抱怨了。

万圣节假期之后没过多久,一天,她要见我的爸爸妈妈。我很惊讶,因为我的成绩还没退步到这种地步。爸爸妈妈问我为什么会这样。当我告诉他们我不知道米歇尔想要说些什么的时候,他们根本就不相信我。他们一边心里想着将会发生什么事,一边来到了这里。

我也是为此事一直心神不宁。

事实上,没有什么好担心的事!米歇尔只是想跟他们说她发现我应付计算机很有一套,比她好多了。这是我和皮埃尔强化训练的结果!简单来说,她想让爸爸妈妈考虑一下帮我在城里的俱乐部里报个名,因为中心还没有俱乐部。她还建议说如果我在某个地方报名了,我就可以单独待在电脑室里用电脑!谈话结束的时候,我真想立刻冲过去报名,只是要先说服一直迟疑不决的爸爸。幸好妈妈跟我说这件事由她搞定,她负责说服爸爸……

我不知道妈妈是怎么做的,但她成功了。接下来的那个周末,在家里的时候爸爸告诉我他同意了,条件是我不能把整晚的时间都花在中心的电脑上。

一切都很顺利……或者说几乎一切都很顺利。但是最难的事情还没解决:安排我的来回交通。

妈妈已经打听过了,俱乐部每星期三的下午2点到4点工作。我们可以安排一下,把我治疗的时间和另一个病人的时间对调一下,剩下的就是交通问题。妈妈在很远的地方,不能特意来接我、等我,然后把我送回来。她也要照顾维克多,弟弟星期三的时候要去踢足球,这方面是没有解决办法的。星期三的时候中心也有一趟班车去市里,但是这趟车下午2点半离开中心,在6点的时候把所有的人都带回来。如果我坐班车的话,只能在俱乐部待一个小时,却要浪费两个小时在城里闲逛。这绝对不行!

我们没有其他办法了!当我星期天晚上回到中心的时候,情绪很低落。因为我站不起来,我不能去学计算机!这真是太蠢了!要是我跟所有人一样,我就可以坐公共汽车,什么问题也没有。我把自己关在屋子里,一个人反复地想着这件事。

一个护工过来给我洗澡，我不认识她。我骗她说我在出发之前在家里已经洗过澡了。我不想表演杂技，也不想像一个小婴儿一样被人操控，特别是被一个我从没见过的女孩儿。她没有坚持下去，因为她很高兴能够更快地结束这一圈巡视。

然后是老师帕特里斯过来跟我说要吃晚饭了。自从我们那天晚上在电脑室发生的事情之后，我就再也受不了他了。他骂我们，这很正常，但是他也不用把所有的事情都告诉勒阔尔先生吧，而且我们又不是恐怖分子。所以，从那开始，我跟他接触越少，我的日子过得就越舒服。我可不想跟他说我的痛苦。我告诉他在家的时候我吃了很多点心，现在不饿，他也没有再坚持。我又找回了安静。只是过了一会儿，我又开始无聊了。我没法把注意力集中到书上，也不能集中注意力干别的事。

我听到有人敲门，不情愿地回答：

"谁呀？"

"马格里布人来看看你是不是从窗户里逃走了。"

是卡里姆！很容易就猜出来了……整个中心没多

少人是马格里布人，更少有人能像他一样把黑色幽默表现得淋漓尽致。

"进来！"

"你好，我没看到你来吃饭，那些小孩子跟我说你已经回来了，所以我过来想跟你下盘国际象棋。"

"啊，真的吗？你什么时候开始对我感兴趣了？"

我这么做确实很不友好。他已经举了白旗，我却不愿意接受。我只是忍不住，我没心情。他并没有因此而局促不安。

"好吧！我之前和杰约姆在一起就像个傻瓜一样！你呢，你总是和那些大人在一起，对我们爱理不理。现在你无聊了，我也是。我们不能像两个笨蛋一样各自待着吧！"

"我不无聊！"

"那你一个人在房间里干什么？"

"我在思考。"

"哦，要是先生您在思考，我们不能打扰您哪。"

他开始有些不耐烦了，卡里姆不是一个耐心的人。在冷漠地接待了他之后，我突然不想让他走了。

"算了,我有些累了,没心情。"

"怎么了?有人刚刚跟你说你不再是残疾人了,你得离开我们吗?"

"够了!我碰到了一个交通上的蠢问题。我不想像犯人一样再待在这里。"

"等等,我没明白……"

我跟他讲了计算机俱乐部的事,还有和中心的班车不相符的时间安排。卡里姆,他也许不是一个心理学家,但是他有实践精神。

"嗯,关于你的问题,我们会找到一个答案的。要是你能从我们中心逃跑的话真是太棒了。你变成计算机高手,就可以给我们介绍很多游戏网站啦。"

"别把这事告诉我爸!他对电子游戏很敏感的!"

"你是知道我的,我有分寸,也能保守秘密!"

"嗯,是这样!"

"等等,我有个主意。你的俱乐部在下午 2 点的时候开门,也就是说要按时到的话,你必须得在 1 点半的时候出发。1 点半的时候这里会发生什么事呢?"

"呃,我不知道……"

"这是那些护工、老师甚至有些医生的换班时间，大笨蛋！你确定你在这里已经生活了几年了吗？"

"也许，但是我才不像你那样呢！我不会把时间花在为了干坏事情而在走廊里闲逛。"

"尽管如此，我还是学到了很多有用的东西，这就是证据！"

"好吧，这时候正是换班的时间，那对我会有什么帮助呢？"

"你真的是笨蛋呢，还是你故意装的？这些人或者大部分人都有车，很多人都住在城里。要是我们找不到一个带你到城里去的人，那真是太奇怪了。"

"该怎么做呢？

"我们会写字，没错吧？你有纸和笔吗？"

我们立马写了一篇小告示：

"海鸥馆"的西奥，希望我到每周三下午 1 点半开车去城里的人，把他带到协会联合馆去。谢谢！

我们把这篇告示重新抄了七八份之后，出发去把它们贴到有人经过的地方，有些还贴到了护工的更衣室里！我们笑得很开心，同时也玩些诡计不想让人看到，我们出现在星期天晚上9点钟不应该出现的地方。

回到我的房间里之后，我们对自己的想法很满意。直到我突然想到了一件事：

"我们刚刚做的事情根本没用！"

"肯定有用！我确定，在这么多人里肯定会有一个人把你带过去的。"

"也许吧，但是这不能解决问题！"

"啊，请问为什么？"

"我在参加完俱乐部之后怎么回来？我不可能等班车等到6点钟！我爸爸妈妈也绝对不同意！"

"是啊，我们没想到回来的时候……听着，我得好好想想，应该有办法的。"

说到这儿，我们不得不分开了，因为那个笨蛋帕特里斯到房间里巡视我们是不是乖乖睡觉了。

第二天，所有的人都看到了我们的告示。总是要解释我为什么要在下午1点半的时候去市里，我开始有些烦了……关于这件事的问题和意见源源不断，但是关于交通的建议却一条都没有！好吧，他们星期一的时候不一定都上班。他们也不一定非要在第一时间就行动。我想让自己恢复理智，但是没用，晚上的时候，我有些失望。

而且，因为没时间了，我和卡里姆还没解决回程的问题。我很累，一整天我都在"跑来跑去"，作业还没写完。当我吃完晚饭回到房间，卡里姆突然出现的时候，我还有不少的作业。

"你好，知识青年！还在刻苦用功啊？当心啊，你已经没有腿了，要是你让我们劳累过度……"

我忍不住笑了出来，但是我必须得写完作业。

"听着，我写完作业就去你房间找你。"

"你知道现在几点了吗？只剩一个半小时那个讨厌的人就会来看我们是不是睡着了……"

"别担心！我会把枕头放在床上。"

"啊，我认识的那个无视纪律的西奥又回来了！"

"好了，别说蠢话了，快点走，我做完这道白痴数学题之后就去找你！"

说到就应该做到。9点的时候，我把枕头放在床上，又拉了一把椅子放到床边。在黑暗里，帕特里斯可能会把它当成阿尔贝。然后我跑到走廊上去，进到卡里姆房间里。为慎重起见，我们把阿尔贝藏到洗澡间里，这并不容易：我得爬到卡里姆的床上，卡里姆则坐在阿尔贝里还要推着自己的轮椅，然后坐在自己的轮椅里回到床上，接着躺下。差一点儿就被发现了：帕特里斯几乎立刻就进来了，想看看卡里姆是不是睡了！我藏在被子下面，他什么都没看到。因为我们既没听到咒骂声，也没听到吵闹，我们就知道他没注意到我房间里枕头那个把戏，一切顺利。

　　"好了，怎么样？没人联系你吗？"

　　"嗯，没有……你要知道，我没抱太大幻想！那些护工们，他们每天都要见到残疾人，他们也不一定想在下班之后还给残疾人当司机！"

　　"要乐观一点！要给他们点时间，今天才星期一。我觉得我们也可以到保健室、大人那边的走廊里贴点告示。一堆在外面住的人每天都会过来，也许有人可以带你去……"

"有可能……"

"明天你到处跑的时候我再给你写几张告示。说正事，乒乓球训练还可以吧？"

"嗯，还不错。比赛又要开始了。我从下星期六一直要打到下下星期五。下个月这里也会有一场比赛。"

"我会去给你制造些气氛的！你还记得你的第一场比赛吗？"

到这里，谈话有一段时间的暂停。一个回忆勾起了另一个回忆，我想起了去年的其他事情，还有我们吵架的事。当然，卡里姆又接着说：

"说到体育，我有个主意。每星期三下午之后没有篮球队训练吗？"

"有，青少年球队，是皮埃尔的那个队。"

"哎，好，行了！他不是寄宿生，而且你们是朋友，不是吗？他爸爸可能有轻型救护车在载他去训练的时候可以捎上你。"

"皮埃尔？自从他不是寄宿生，又花很多时间训练篮球之后，我就不常见他了，而且我不是特别想请他帮忙。他在训练之前也会有其他的事情，保健课或者肌肉训练课……"

"而且要是先生您对司机还有严格要求……"

"哦,得了吧。"

"别生气,我开玩笑的!尽管如此,关于篮球队员的这个主意还是值得再考虑一下的,你得去见见你的哥们儿帕特里斯。"

"嗯,行,我会跟他说的……"

第二天,当我去体育馆上肌肉训练课的时候,帕特里斯已经带着答案等着我了。那个卡里姆已经找过他了!他不应该让我在昨天晚上太过兴奋。他肯定想最好能逼我去找帕特里斯,他也并不是完全没有道理。

"看起来你星期三晚上需要一名司机?"

"呃……是的。为了从电脑俱乐部回来,但是等等,我不……"

"我已经帮你找到司机了!猜猜是谁!"

"我不知道,我……"

"是安托万!"

"安托万?在这个时候中心没有任何一支球队在训练!"

"是没有，但是我刚刚让安托万负责'青少年'队的训练。我已经有些烦了，我感觉自己在这里做了很多工作。"

"没错。很快他就能帮你了……"

"哎，我看到你又和卡里姆成为朋友了？"

"安托万几点来？"

"热身训练是在下午 5 点开始。他得在那之前到这里，你可以等他一会儿。"

"好，但是条件是我可以去！现在我还没找到去的司机呢！"

"别担心，会找到的！快，现在去训练吧！我一点都不反对你学电脑，但是不能让你的球技不如从前！"

帕特里斯说得没错。第一天我就收到了一个大人的信息，他每星期三在这个时候结束他的训练。理论上，他只有两个月的时间，但是这总比没有人帮我要好得多。

这一切都要和爸爸妈妈商量好。他们见了弗朗索瓦，也就是刚刚提到的那个病人，还签了一堆的文件，最后终于成功了。我终于在电脑俱乐部报名了，每个星期三的下午 2 点到 4 点待在那儿学习。去的时候司机是弗朗索瓦，回来时候的司机是俱乐部足球队的队长和青少年队的教练安托万！那些小孩子们是安托万的铁杆粉丝，他们肯定会很嫉妒的。

正在我以为什么都考虑到了的时候，突然发现我忽视了一个"小"细节：阿尔贝！弗朗索瓦和安托万的车都不能装下一个这样的机器。它是电动的轮椅，所以既不能折叠又很重。如果没有轮椅，把我带过去是完全不可能的，我可能要完全依赖别人，太过分了！卡里姆明显比我更机灵，他想到了一个主意：为什么不向中心请求借我一辆手动的旧轮椅呢？即使有一只胳膊不能动，我也能很好地让轮椅前进。

"电脑"计划终于可以实施了。实施的代价是：星期三一天说了七个"谢谢"，这是一笔不小的数目了！一次"谢谢"是为了借轮椅，我的司机每人三个"谢谢"，是因为他们帮我进到车里、从车里出来还有把我载到目的地。为了保证收支平衡，我要充分发挥自己的想象力了。

12

　　我从十二月份开始去俱乐部。其他的会员比我学得多一些，但是因为我在中心已经学过一些信息技术，所以我还没有完全晕头转向。负责人特别好，那里的人也不会很奇怪地看我。在这里，最重要的事情不是用我的双腿，而是知道装软件或者在网上冲浪。这个冲浪，我懂！我也交了两个朋友，弗雷迪里克和卢卡斯。我们只有星期三才见面，但是我们每周都会发电子邮件。他们给我讲他们的初中和老师，我给他们讲中心发生的事情。他们的学校看起来不是最好的。总之，在学习方面，我想在中心会不会好一点……

问题是我时间安排得特别紧张：每周有五天半的时间要上课，还有电脑俱乐部、调换了时间的治疗、训练、乒乓球赛，还要为了赚取"谢谢"保证收支平衡而跑来跑去帮别人的忙！真是节奏飞快啊！我一直坚持到圣诞节的假期，但是我的成绩给了我当头一棒：除了每星期三下午的放松时间，我再没有时间写作业了。

　　当假期前一晚米歇尔把成绩单发给我们的时候，我不能平静了。要是爸爸知道我自从开始学电脑之后成绩下降得飞快，事情可能会变得很严重。我为了解决交通问题而付出的努力全都白费了。但是，喔唷！米歇尔在成绩下降之后取消了第一学期的及格分数。她甚至还给我上了一节课，告诉我还是可以重振旗鼓的。"她还是很有趣的。"我想，她想让我怎么去找到时间呢？简而言之，我可以带着一张拿得出手的成绩单过圣诞节了。幸好，因为有两个巨大的礼物正在家里等着我呢。

　　当我回家的时候爸爸妈妈看起来很奇怪。每次我因为坐着阿尔贝撞到哪里，或者我把东西忘在了房间里，又或者被困在下面而发牢骚的时候，他们两个总是相视一笑。我得等到圣诞节那晚才知道答案，他们告诉我要搬家了！他们最近找到了一套一层有卧室的房子，离中心很近。补助的问题也有了结果，我们可以搬家喽！我以后可以坐着轮椅独自在家里走来走去了，我们也会把厕所和洗澡间改造成适合我用的样式。还要等几个月，我就可以不用寄宿，可以住在家里了。我简直不敢相信自己的耳朵！我差点忘记了爸爸妈妈在保罗和卡特琳娜家的那次谈话，从来没有人跟我说起过。突然，梦想变成了现实！我真是特别高兴，但我不会告诉你们维克多的表情！他花了一点时间来思考，然后很果断地拒绝了！他不可能离开他的学校和朋友们……

听到这儿，我感觉像是一盆冷水浇下来。爸爸妈妈很高兴地跟我们宣布这个消息。爸爸不会再因为把我丢在中心而有罪恶感了，妈妈也不用在每个周末爸爸出差的时候来看我了。是的，但是对于维克多来说，搬家对他有什么好处呢？他根本不屑于住得离市区更近些。他得离开所有的东西：他的房子、他的朋友、他的学校……爸爸有些生气，他对维克多说不要太自私了，他应该想想我终于可以回家了。我看到妈妈跟爸爸做手势，让他别说话，妈妈正在努力地劝维克多。

　　妈妈跟维克多解释说他可以在假期的时候请朋友们来家里玩，她又说我们会离海边很近的。我又接着说，要是我们有一套适合残疾人住的房子的话，也许塞巴斯蒂安或者纪尧姆也可以来家里玩。最后，又跟他说了离中心近的好处，如果他愿意的话，帕特里斯刚刚开了一个向所有健康孩子开放的乒乓球室。他最后冷静下来了，开始拆他的礼物。而我，今晚的第二个惊喜在等着我：一台电脑！爸爸让步了！最开始，在搬家前，我只能在周末的时候用电脑，但是搬家之后真是太棒了！我真的非常高兴！想着我的学习成绩，我又有点罪恶感。要是爸爸知道我最近的成绩……我想我得找到办法多看看书才行。

　　接下来的一个星期里，我反复地考虑这个问题。解决方法并不是很多：不可能减少课堂时间或者是治疗时间，也不可能停止为了赚取"谢谢"而对别人的帮助，特别是我现在说"谢谢"的次数太多了！只剩下乒乓球训练或者是电脑课了。要减少电脑课，绝对不可能！所有

的人都被我发动起来帮我实现了这个计划,现在我要是放弃了,我会成为一个笑话的。乒乓球训练?毫无疑问,我很喜欢。但是我从来没觉得自己是一个冠军。我打得不错,我也能赢得比赛,但是我不是残疾人乒乓球的希望。在乒乓球训练上,我可以停下来了。但是要让帕特里斯相信这一切才行!他在我身上花了那么多时间,我感觉不再参加乒乓球训练是对他的一种背叛……但是,很不幸,我没有别的办法。

假期结束后,我回到中心,一边很迫不及待地宣布我要搬家的消息,一边又有点担心当帕特里斯知道我要放弃乒乓球时候的反应。

第一个星期,我像疯子一样到处跑。因为我一方面想要让成绩提高,另一方面又想保持独立,我的时间安排得太紧迫了,我还没有下定决心跟帕特里斯说清楚。

在按照这种速度过了三个星期之后,我完全筋疲力尽了。结果是我在课堂上睡着了两次,在爬上床的时候摔倒了好几次,直接的结果是我进医院了。没有人跟我说任何话,但是我的疲惫别人也不是看不到。我在想什么?要是我能自己安排、决定我能做什么、不能做什么该多好！我总觉得我被注视着、被保护着。即使我想自己一个人吃饭也不能。事实上，这种情况给了我一个跟帕特里斯宣布我的决定的好借口。这很简单，多谢这种神圣的团队工作，所有照顾我的人都知道了我的"劳累"以及我和医生说了什么。所以当我星期二晚上去训练的时候，帕特里斯已经料到我要减少我的日常活动了。

"哎，小家伙，任务太重了？看起来是我让你累坏了……"

"不，不是这样……"

"我知道不是这样！我看得很清楚，你虽然很累，但是你从没停下来过！你不必到处跑着去帮皮埃尔、保罗、菲利普的忙……你又不是他们的奶妈！"

我没回答，但是我有些犹豫。我要不要跟他解释小本子的事情？我很害怕帕特里斯以为我在"买卖"我的帮助。我不想改变他对我的看法，所以我什么都没说。

"好吧，做你想做的事情。你是怎么决定的？哎，你不会完全停止乒乓球的训练吧？"

"不会的，不会的……"

"要是这样的话,我会辞职的……我这么辛苦有什么用? 别人把孩子送到这里来训练,当他们开始能够应付的时候,人们又批评我把他们弄得太累了……"

"听着,我觉得我完全可以继续把乒乓球当成一个爱好……"

"你不想参加比赛了?"

"嗯,是的,我永远也成不了冠军。"

"是啊,我那么累地去给那些孩子组织比赛有什么用呢? 他们又不会都成为冠军。在这个大部分的选手都是业余的国家里举办那么多的比赛又有什么用呢? 要是我们不让那些冠军比赛的话,你会怎么看待他们? 而且,要不是这样的话,你会坚持来训练吗? 你会努力锻炼肌肉吗?"

"好吧,不会……也许不会……"

"当然不会! 这是因为你想赢或者你想和自己抗争……但是我明白了,走吧……你长大了,你想要别的东西。"

"不,只是因为我不能做所有的事……"

"我知道。我也有权利时不时地向我的孩子们发发脾气！"

他朝我笑了一下，又眨了下眼睛。他不是真的在生气。

"这可真不巧，因为我正好需要你。"

"真的吗？怎么了？"

"嗯，但是你要是想把生活节奏减下来的话，就不太可能了……"

"快点告诉我！"

"好吧，我之前想你可以在星期二傍晚的时候负责小孩子的乒乓球室。我现在老了，应付青年篮球队都有点吃力了，这个球队今年的成绩很不错。"

"这太棒了！这是塞巴斯蒂安、纪尧姆还有他们那一堆人的球队。而且，要是我们搬家了，我弟弟也可以来打球……"

"还有一个问题……你的时间安排！"

我们两个坐在肌肉训练台的前面，冷静下来重新安排我的一周时间。

最后，我取消了乒乓球赛的三项训练，保留下来一次肌肉训练，又加上了小孩子们的训练。帕特里斯坚持要和管理部门谈谈，为了我能够以某种方式得到报酬。这一点都不着急。在这期间，我可以赚到"谢谢"。一个小时的训练，一共有六七个孩子，至少可以得到五个"谢谢"！这样的话，我就可以省去不少的"帮助"了……

我有时间来检验新的时间安排，也能够在二月的假期之前把我的成绩提高一点。在家里，我又能和电脑在一起了。我终于可以结束从夏天就开始的网页创建任务，特别是每星期三在俱乐部里我学到了很多有用的东西。结果还不错，我创建了一个让孩子们浏览的关于中心的网站。关于治疗、社会保障、交通等等严肃的东西全部都没有，更多的是为了通知一些活动、体育运动、比赛等，最重要的是"聊天"！如果我们在中心，但是因为各自的时间安排而见不到面，放假的时候、搬家或者换到别的残疾人机构的时候，我们就可以聊天了。我甚至还扫描了小孩子们的照片来做插图。一天晚上，我把这个网站给爸爸看。我觉得我吓到他了！

第二天，我听到他在电话里把这个消息告诉了他的朋友们。

假期结束后，我把这个网站给我周三的老师看。他觉得网站很不错,也帮我改进了两三个地方,我就把网站的地址告诉了朋友们。这我就不说了……第二天,全中心的人都知道我建了一个网站:卡里姆负责宣传工作。当然,米歇尔也想看,她觉得这个网站非常棒。她甚至建议我帮她准备电脑课,因为我比她知道的多。我接受了,条件是别人要同意。要不然我又成了老师身边的红人了,这又会有麻烦……

慢慢地,我在中心有了"电脑专家"的美名。别人一直不停地让我帮忙:一个护工或者一个保健员的电脑"死机了"或者按错了按键,一个朋友想要在电脑上装软件却装不上,医生的秘书不能把打印机连到电脑上……简单来说,是我想要让生活节奏慢下来……

有一天,我突然发现我至少有两个星期都没有在小本子上记账了。虽然每次星期三的交通都要花很多"谢谢",我的"谢谢"肯定够用了。不管怎样,我不会再特别注意我要说的"谢谢"了,也许是因为我也能得到很多"谢谢"。我决定放弃这个小本子计划,我并不是真正需要它了。我犹豫了一下是不是要把它扔到垃圾桶里。毕竟它曾经帮助过我，所以我把它放到我的抽屉里，抽屉里还放了我的照片，还有妈妈或者是奶奶给我寄的地图。

我几乎要把这个小本子给忘记了，直到五月的一天，我刚刚结束保健课，我听到起立训练课上有嘈杂的声音，原来尚达勒在那里发牢骚。一个新来的孩子格雷瓜尔在他的轮椅上撒尿了。出门的时候，我特意从起立训练室走过去。尚达勒正在教训那个格雷瓜尔：

"要知道，如果你想要撒尿的话，你要叫我，不能等到憋不住了。你是一个大孩子了，你会说话。你为什么不说呢？"

小男孩儿没有回答。她又接着说道：

"你想去撒尿的话肯定有感觉的。只要你告诉我，我就会带你去厕所。"

他至少有八九岁，看起来也不比我虚弱，尚达勒像对一个小孩子一样跟他说话：

"让他一个人待一会儿，走吧，这种事情谁都有可能遇到！"

"你有佣人呢！又不是你要给他换衣服、擦轮椅！"

"好吧,好吧。听着,要是你愿意的话,我把他带到房间去。在那儿他们会帮他换的。这样行了吧?"

"嗯,今天就到这里。你可以带他去吗?"

"可以,我正好要回去。我得去找一本我忘记在那儿的书⋯⋯"

"好的,行,谢谢。你跟他好好解释一下他必须请别人帮忙。他可能会听你的,因为我觉得跟他说话像在对牛弹琴!"

"别担心!"

实际上,我让他安静了一会儿,我们安静地回去了。当我们再到他房间的时候看到他有些难过,我试着和他聊了一会儿。他开始哭了,我在想该怎样安慰他。这时,我发现他正在跟我说什么。但是他说得太小声了,我什么都听不见。最后,我明白了他说的话:"我不想求别人。"

我花了一段时间,把这件事和我在保健课上遇到的"小事故"联系起来。我一明白过来之后,就在想要找到这个拒绝的原因是完全没用的。我知道原因:

"你受够了总是要求别人,总是要说'谢谢',是吗?"

他点了点头。

"这个并没有太多的解决办法,你要学着自己做尽可能多的事。我会展示给你看,也会教给你我的'窍门'。别人也会请你帮忙,他们也会说谢谢……别动,我很快回来。"

我冲到了房间里,在抽屉里找到了那个小本子。我回去见到格雷瓜尔,把小本子给他看。当他明白过来的时候,他笑了。我向他保证我会在中心的报亭里给他买一个这样的本子,帮他画好格子。接着,我去找了艾弗琳娜,请她帮格雷瓜尔换衣服,温柔些,不能再对着他长篇大论了,他已经受够了,他更需要的是一个大大的拥抱。

而且,问题也不在这里。

除了这些,我不会跟艾弗琳娜谈论这件事:她不一定能理解,而且解释清楚的话要花很长的时间。